Tus manos pueden curar

Ric A. Weinman

Tus manos pueden curar

Traducción de Delia Mateovich

Título original: *Your hands can heal.*

Diseño cubierta: Regina Richling.
Ilustración cubierta: Katherine Mahoney / Illustration Stock.
Producción y compaginación: MC producció editorial.
ISBN: 0-7394-5195-2

©Bookspan
501 Franklin Avenue
Garden City, NY 11530

Licencia editorial por cortesía de
Ediciones Robinbook, s.l., Barcelona.
Impreso en U.S.A. - *Printed in U.S.A.*

para Mary

por sus enseñanzas sobre el silencio
y el amor incondicional

Prefacio

La canalización de la energía curativa, también llamada «imposición de manos», es una forma de curación que siempre ha estado envuelta en un velo de misterio. Por un lado, la ciencia occidental, al enfrentarse a un fenómeno que no podía explicar, o bien sostenía que el fenómeno no existía, o, cuando era confrontada con pruebas evidentes de que la curación se había producido realmente, se limitaba a declarar que cualquier enfermedad «psicosomática» podía curarse mediante un «acto de fe». Por otro lado, y puesto que la mayoría de los sanadores no podían explicar lo que hacían y atribuían el fenómeno a su fe en una deidad, la canalización de la energía curativa quedó relegada al reino de la religión bajo la etiqueta de «curación por la fe», pero ésta es una designación incorrecta, porque incluso los ateos pueden ser curados y aprender a convertirse en sanadores. La canalización de la energía curativa es un fenómeno que es tan natural y real como el magnetismo; existe independientemente de las creencias de los participantes u observadores.

En la década de 1930, un científico ruso llamado Semyon Davidich Kirlian comenzó los primeros experimentos serios con un proceso fotográfico que podía captar imágenes del «aura»: el campo de energía que rodea al cuerpo. Si se fotografía las manos de los sanadores con lo que ahora recibe el nombre de «fotografía de Kirlian», se aprecia un cambio notable en la imagen cuando éstas comienzan a canalizar energía curativa. Donde las fotografías habían mostrado contornos lisos alrededor de los dedos, ahora muestran largos haces de luz que emanan de las manos y de los dedos. Sin duda, sucede algo muy concreto cuando una persona canaliza energía curativa.[1]

Una de las cosas más asombrosas acerca de la canalización de energía curativa es que, por misteriosa que parezca, y a pesar del pequeño número de sanadores que practican esta forma de curación, puede enseñarse casi a todas las personas. El proceso de canalización de energía curativa es tan natural e innato, que una vez que se explican los principios y métodos se aprende con facilidad. Aun cuando usted no haya experimentado nunca nada esotérico, y

1. La fotografía de Kirlian reveló el igualmente concreto «efecto del espectro de la hoja». A veces, cuando se corta un trozo de una hoja y se procede a fotografiar la parte restante utilizando los métodos de Kirlian, en la fotografía aparece el aura de la hoja completa. (Esto puede explicar el hecho de que a veces la gente sienta dolor en extremidades que no tiene.) Un fenómeno similar se encontró en las fotografías Kirlian de semillas en germinación: a veces las puntas de las raíces aparecen en las fotografías antes de manifestarse físicamente. Estos fenómenos han convencido finalmente a muchos científicos de que existe un aura asociada con cosas vivas.

crea o no en Dios, puede aprender a canalizar la energía curativa.

Este libro se basa en los talleres de trabajo sobre canalización de energía/equilibrio del aura que he dirigido en Tucson, Arizona, y en la ciudad de Nueva York. En estos talleres de trabajo personas de todas las edades han aprendido –hacia el final del primer día– a canalizar energía curativa siguiendo tres métodos completamente diferentes. Por tanto, si usted piensa que no sería capaz de aprender a canalizar energía curativa, deje de lado esta preocupación. Al menos uno de los métodos funcionará en su caso y se quedará sorprendido ante lo fácil que resulta.

Existen muchas ventajas en el aprendizaje de la canalización de energía curativa en un taller de trabajo. Una es la experiencia de aprender y compartir con otros. Otra es que los sanadores que dirigen tales talleres de trabajo se hallan «en armonía» suficiente con la energía como para ver lo que usted está haciendo y demostrarle que podría trabajar de una manera más efectiva y eficaz. Si tiene dificultades en algún punto, el sanador puede ayudarle rápidamente a superarlas. También, cuando muchas personas están canalizando energía juntas, resulta más fácil hacerlo.

Pero en la actualidad existen muy pocos lugares en el mundo a los que una persona pueda acudir para aprender a canalizar energía curativa. E incluso esos lugares son difíciles de encontrar. Por ejemplo, muchos de mis talleres de trabajo llegan al conocimiento de la gente sólo a través de la difusión oral. Debido a esta escasez de centros de aprendizaje y porque creo que es hora de que la gente tenga acceso a esta información, he escrito este libro. En esta época en que los costes médicos se disparan en espiral, la gente se halla dispuesta a aprender a curarse y a curar a otros. Así mismo, cuando la gente practica la canalización de la energía curativa expande su conciencia y transforma su vida. Creo que muchas personas están preparadas para esta clase de crecimiento personal y espiritual. Adonde quiera que voy, conozco gente que sólo recientemente ha despertado a las inmensas posibilidades para el crecimiento personal que tiene a su disposición.

Introducción

La canalización de la energía curativa se produce cuando uno sc pcrmitc scr un vchículo, o un canal, a través del cual puede fluir la energía curativa. Esta energía curativa puede curar enfermedades físicas mediante la liberación del estrés y de los traumas emocionales padecidos durante mucho tiempo, que son las causas fundamentales de la enfermedad. La energía curativa puede tener un efecto tan profundo porque todo en el Universo esta formado por energía. Einstein demostró esto matemáticamente con su famosa ecuación $E = mc^2$, que sostiene que toda materia, desde el átomo hasta el elefante, está formada por energía. Incluso el estrés, la enfermedad y los traumas emocionales son formas de pautas de energía. Por consiguiente, todos ellos pueden ser afectados por la energía (incluyendo la energía curativa canalizada) y cambiados por ella. (Véase apéndice B: «Una teoría alternativa de la enfermedad».)

Tres indicaciones acerca de la utilización de este libro

1. Es importante utilizar este libro en el orden en que está presentado, porque cada ejercicio requiere el conocimiento obtenido a partir de los ejercicios precedentes.
2. Aunque este libro se basa en mis talleres de trabajo de dos días por semana, sugiero que no trate de aprender todo lo que se incluye en él en un solo fin de semana. A continuación se sugieren dos programas de aprendizaje:

Cuatro tardes y un día

Primera tarde:	Capítulos 1 y 2 (incluyendo el ejercicio de calentamiento y los ejercicios 1 y 2).
Segunda tarde:	Capítulo 3.
Tercera tarde:	Capítulo 4.
Cuarta tarde:	Capítulos 5, 6, 7 y 8 (incluyendo los ejercicios 3 y 4).

Sábado o domingo:	Capítulos 9, 10 y 11 (incluyendo los ejercicios 5 y 6, y de equilibrio del aura), y capítulo 12 (opcional).

Un día, una tarde y un segundo día

Primer día:	Capítulos 1, 2, 3 y 4 (incluyendo el ejercicio de calentamiento y los ejercicios 1 y 2).
Tarde de día diferente:	Capítulos 5, 6, 7 y 8 (incluyendo los ejercicios 3 y 4).
Segundo día:	Capítulos 9, 10 y 11 (incluyendo los ejercicios 5 y 6, y de equilibrio del aura), y capítulo 12 (opcional).

El primer programa sería ideal para la mayoría de la gente. Las tardes pueden distribuirse a lo largo de la semana, desarrollando aprendizaje y conciencia hasta que se realice el equilibrio completo del aura durante el fin de semana. Excepto en el caso de personas con horarios inusuales o con un fin de semana de tres días, el segundo programa dejaría intervalos de varios días en el proceso de aprendizaje, pues sólo habría una sesión vespertina entre el primer día del fin de semana y el día del siguiente fin de semana. Empero, esto podría compensarse si una o dos tardes de los días intermedios se utilizan para practicar lo que se ha aprendido, manteniendo el nivel de conciencia.

3. Puesto que la canalización de energía curativa habitualmente implica a una segunda persona, que es quien recibe la energía, es necesario contar con una pareja con la cual practicar y aprender. Por consiguiente, todos los ejercicios que se incluyen en este libro están diseñados para dos personas.[2] (O puede formarse un grupo de aprendizaje con varias parejas.) Si sólo unas de las personas está aprendiendo a canalizar, la otra puede limitarse a recibir. No obstante, el aprendizaje mejora si ambas personas están aprendiendo a canalizar. Luego cada una de ellas puede experimentar ambos aspectos de la situación de curación, la canalización así como la recepción. No debería desaprovecharse la oportunidad de conocer sin intermediarios lo que experimenta el receptor. Además, si aprende a canalizar energía curativa con otra persona, tendrá alguien con quien comparar sus propias experiencias.

2. Aunque algunos de los ejercicios de canalización están pensados para que ambas personas aprendan la canalización al mismo tiempo, tal vez les resulte más fácil turnarse a fin de que una pueda leer las instrucciones mientras la otra aprende a canalizar.

Ejercicio de calentamiento: centrarse a través de recibir aliento

Cuando se actúa como un canal para la energía curativa, ayuda estar centrado en el interior de uno mismo, experimentando la plenitud de la vida. Para poder lograr esto, simplemente *recibimos nuestro aliento*. Nuestro aliento está siempre aquí y ahora, y cuando lo recibimos conscientemente, experimentamos la plenitud de la Vida, pues el aliento *es* el don de la Vida. En realidad, es un don incondicional, pues no depende de nuestros pensamientos o de nuestro comportamiento; sólo necesitamos recibirlo. (Cuando nos ponemos tensos y restringimos nuestro aliento, bloqueamos nuestra capacidad para recibir la Vida, generando una sensación interior de carencia, pérdida o necesidad).

Por tanto, cierre los ojos y durante diez minutos reciba conscientemente su aliento. Recíbalo en el centro de su ser y en cada célula de su cuerpo. Usted nunca tiene que «tomar» aliento; simplemente reciba el aliento que ya le ha sido dado y le permite colmarse de Vida. (Si encuentra una zona dentro de usted en la que tiene dificultad para recibir, no trate de forzar el aliento allí, simplemente muéstrese dispuesto a recibirlo en ese lugar.)

Utilice este ejercicio poco antes de comenzar cada uno de los demás ejercicios incluidos en este libro y previamente a toda sesión de curación. También puede utilizarlo como una meditación regular.

TRES MÉTODOS PARA CANALIZAR ENERGÍA CURATIVA

1. Las sendas que conducen a las fuentes de energía

El mundo en que vivimos se halla compuesto totalmente de energía. Estamos inmersos en energía y rodeados por ella para siempre. El primer interrogante importante es: ¿Cómo logramos acceder a un poco de esa energía con el objeto de poder utilizarla? Resulta que existen muchos modos y que podemos utilizarlos a todos: nuestras mentes, nuestras imaginaciones, nuestros recuerdos, nuestras fantasías, nuestras emociones y nuestros cuerpos. Todos ellos son sendas que conducen a las fuentes de energía.

Parta del secreto de canalizar energía curativa es permitirse sentirse conectado con una fuente de energía positiva y luego dejar que esa energía fluya a través de usted a fin de poder compartirla con otra persona. Con todos los métodos de canalización de energía que yo enseño usted no *hace* la canalización, sino que está *permitiendo que suceda*. En realidad, le energía se canaliza ella misma. Usted simplemente es el vehículo o canal a través del cual se desplaza la energía. Y la fuente de es energía puede ser todo lo que le hace sentirse maravillosamente, pues cuando usted se siente maravillosamente se permite recibir energía de algún tipo de fuente positiva, curativa.

La mayoría de nosotros, en algún momento de nuestras vidas, hemos tenido una experiencia en la cual éramos inundados por tanta felicidad que casi nos sentíamos agobiados por ella. Ese recuerdo es una senda que conduce a una fuente de energía positiva. La mayoría de nosotros hemos tenido fantasías que nos inspiraron momentáneamente con una increíble sensación de alegría. Esas fantasías son sendas que conducen a las fuentes de energía positiva. Utilizaremos esos recuerdos y fantasías cuando lleguemos al tercer método de canalización.

Otro método para conectar con una fuente de energía curativa consiste en utilizar varios centros de energía dentro o fuera de nuestro cuerpo. Estos centros son accesos naturales a las fuentes de energía positiva. Cuando sentimos amor por alguien, el centro de energía de la zona del corazón vierte energía a borbotones. Cuando nos sentimos sexualmente atraídos por alguien, el centro de energía de la zona de la pelvis vierte a montones un tipo de energía diferente. (Ése es un modo de saber si alguien está fuertemente atraído por nosotros: podemos sentir que la energía procedente de su centro sexual nos toca, y reconocemos el tipo de energía que es.) Existen otros centros de energía y usaremos algunos de ellos en los dos primeros métodos de canalización.

Las palabras también son sendas que conducen a las fuentes de energía. Puesto que asociamos a las palabras con las experiencias que representan, la utilización de esas palabras tiende a hacernos recordar esas experiencias y a recrearlas en el presente. En cierto sentido, las palabras son envases que contienen imágenes y sentimientos. Pronunciar algunas palabras nos hará sentir bien, mientras que otras pueden hacernos sentir fatal. Si decimos mentalmente la palabra «odio» una y otra vez durante una hora, probablemente llegaremos a sentirnos mal físicamente. Por el contrario, la repetición de la palabra «amor» nos hará sentir relajados y apacibles. La palabra «amor» nos conecta en forma automática con la fuente de energía que es el amor. Por consiguiente, las palabras pueden usarse para establecer una conexión con determinadas fuentes de energía o para mantener una conexión con alguna de ellas.

También los colores son fuentes de energía positiva, y cada color es la fuente de un tipo diferente de energía. Mirando fijamente el color rojo o visualizándolo internamente, generaremos una sensación y un estado de energía muy diferentes que si hacemos lo mismo con el color verde. Más adelante hablaremos de los efectos y del significado de los diferentes colores, pues cada color tiene un efecto distinto sobre el cuerpo.

Tradicionalmente, los sentimientos religiosos han sido las fuentes de energía más comunes para la canalización de energía curativa. Aquellos que sienten una profunda conexión con Dios, Jesús, Buda o un maestro espiritual pueden utilizar ese sentimiento como una fuente de energía en el tercer método de canalización. Tal vez el método esencial de conexión con una fuente de energía curativa, positiva, consiste en percibir el momento actual de tal modo que en forma automática nos colme de felicidad y alegría. Entonces, la vida misma es su fuente de energía y usted se halla constantemente colmado con esa energía vital. Por supuesto, lo más difícil es aprender este método. En general sólo las personas que están profundamente implicadas en una disciplina religiosa o espiritual llegarán a esta experiencia. Con todo, es una posibilidad que se halla abierta a todos nosotros. Pues, con independencia de creencias religiosas o espirituales, lo que genera este estado mental con mayor facilidad que cualquier otra cosa es la práctica simple y no sectaria del amor incondicional. Y como veremos en el capítulo siguiente, el amor incondicional le corresponde representar un papel central, aun cuando a veces no sea manifiesto, en todos los métodos de canalización de energía curativa.

Ejercicio 1: colores, palabras y recuerdos

Ambas personas deberían sentarse en sillas una frente a la otra, a cierta distancia. (Si se trata de un grupo, formen un círculo.) No deberían emplearse sillones mullidos, sino más bien sillas en las que resulte bastante fácil sentarse erguido. Escoja a una persona para que conduzca el ejercicio, que consta de dos partes.

Primero, cierre los ojos y tómese un minuto para centrarse a través de la recepción del aliento. Luego, manteniendo los ojos cerrados, la persona que conduce el ejercicio dice el nombre de un color. Entonces, ambas personas lo repiten en silencio (en sus mentes) mientras visualizan y sienten el color. Así mismo, trate de aspirar el color hacia su cuerpo. Imagine que en lugar de respirar aire usted está respirando luz, cualquier luz del color con que esté trabajando. Luego, después de medio minuto de estar concentrado en ese color, el conductor del ejercicio nombrará otro. Pase por tantos colores como desee, asegurándose de incluir azul, verde, amarillo, rojo, anaranjado, dorado, blanco, rosa, negro y violeta, no necesariamente en ese orden. Observe su experiencia con cada color.

Cuando haya terminado con los colores, haga lo mismo con varias emociones, asegurándose de incluir tanto emociones «positivas» como «negativas». A veces ayuda pronunciar la palabra en voz alta en su mente, más que hacerlo con suavidad. Permítase sentir cualquier experiencia que estas palabras generen en su caso.

Finalmente, haga lo mismo con palabras conceptuales, tales como hogar, música, madre, padre, resistencia, renuncia, luz, oscuro, Dios, Tierra, cielo, belleza, creatividad, libertad, sofoco, muerte, dulce, terror, etc. Diez palabras serán suficientes. Permítase experimentar cualquier sentimiento que estas palabras generen en su caso.

Cuando haya terminado, hable de sus experiencias con su pareja, y recuerde, no existe ninguna experiencia «correcta». Todo lo que experimentó es sólo lo que usted experimentó. Es importante ser sincero y no hacer juicios (diferentes a las percepciones) sobre su experiencia.

Para la segunda parte, dejen unos ciento veinticinco centímetros de espacio entre las sillas que ocupan. Ahora, cada uno de ustedes debería recordar el momento más pleno, feliz, jubiloso y eufórico de su vida. Puede ser el momento en que se sintió más amado o más vivo. Utilice todas las sensaciones que pueda recordar, y trate de recrear esa sensación en este preciso momento. Antes de detenerse, escoja una palabra o imagen clave que le ayudará a regresar a ese estado y a recrearlo más rápidamente la próxima vez.

Si no puede recordar un momento de tanta felicidad, cree una situación de fantasía. Hágala tan intensa como pueda. Permítase abandonarse a la fantasía y experimentarla realmente. Encuentre una palabra que le permita recrear la sensación de esa fantasía más adelante.

Cuando lo haya hecho, comparta sus experiencias con su pareja.

Uno de los propósitos de este ejercicio es mostrarle cómo pueden utilizarse las palabras, colores, sensaciones, recuerdos y los cinco sentidos para crear determinados estados de energía interna. El otro propósito es ponerle en armonía con los cambios sutiles de energía y darle una sensación de las formas infinitamente diversas que pueden adoptar los estados de energía. La canalización de estos estados de energía para energizar o curar a alguien se halla sólo a un paso.

2. La forma mental

Lo más importante que debe aprender si va a actuar como sanador es la forma mental curativa. Su actitud, su estructura mental, el modo en que considere y enfoque la situación de curación resulta decisivo. A lo largo de este libro le recordaré esto, y por más que haga hincapié en ello, nunca podré enfatizarlo lo suficiente: *su forma mental es lo más importante que debe recordar en cualquier situación de curación*.

Existen seis actitudes para darse cuenta de estar creando la forma mental curativa:

1. Compartir la energía curativa versus *Realizar la curación.* Aunque la apariencia de cualquier situación de canalización de energía es que un sanador está haciendo algo *a* o *sobre* alguien, éste no es el caso. El sanador está haciendo algo *con* la otra persona. Puede parecer que ésta es una distinción sutil, pero en realidad es una diferencia muy importante porque afecta a la actitud del sanador hacia la otra persona y hacia la situación de curación en general. Si estoy haciendo curación *sobre* alguien, entonces existe un cierto tipo de distanciamiento en mi actitud. La otra persona será vista como un aspecto neutral y pasivo de una situación en la cual yo tengo toda la responsabilidad y estoy haciendo todo el trabajo. Por otro lado, si estoy compartiendo energía *con* alguien, entonces ambos somos responsables de lo que está sucediendo, y el éxito o el fracaso de lo que intentamos dependerá de nuestra receptividad mutua ante la experiencia. Al compartir, tenderé a considerar lo que está sucediendo en términos de «nosotros», más que en términos de «yo/tú». Esto me hará sentir mucho más conectado con la persona con la que estoy trabajando y mucho más abierto a ella. También generará una mayor conciencia de lo que está sucediendo a esa persona y de dónde residen los problemas reales. Finalmente, el hecho de compartir me ayuda a experimentar a la otra persona como mi igual e impide que mi ego se entrometa.

2. Igualdad versus *Asimetría de poder del ego.* En toda situación de curación existirá una interacción entre dos personas. Una persona desempeñará el papel de sanador y la otra, el de receptor. Al final, ambas se habrán beneficiado de la interacción, ya sea que se trate de una experiencia de curación, de aprendizaje o de cualquier otro tipo. En cierto sentido, ambas son estudiantes de la situación. Sus papeles son diferentes, pero ustedes son *iguales.* Ambos son seres humanos que se unen, cada uno por sus propias razones personales, para compartir una situación de curación. Esto es muy importante, porque resulta fácil para la persona que desempeña el papel de sanador quedar aprisionado en su ego y desarrollar lo que se llama «asimetría de poder» con respecto a la otra persona. Algunos médicos son conocidos por tratar a sus pacientes de este modo. Tratan a sus pacientes como objetos o entes despersonalizados, sin comprender que, como consecuencia de esa actitud, también ellos se despersonalizan y levantan barreras al proceso curativo. En toda situación de curación dos individuos se unen para generar experiencias personales por sí mismos. Existe una igualdad básica, aun cuando cada uno represente un papel diferente. Si el ego de uno de ellos, para ensoberbecerse, ve al otro como inferior, se producirán ciertos problemas, en especial el problema de los «intentos de acción».

3. No permitir los intentos de acción. Canalizar energía curativa quiere decir que usted llega a ser un *vehículo* para que esta energía fluya a través de su cuerpo. No es usted en el sentido de su ego quien realiza la curación; es la energía que pasa a través de usted. Y no tiene que hacer nada para que pase a través de usted. Todo lo que necesita es una conciencia de la energía y una disposición a permitirle trabajar. Su papel en ello es bastante pasivo. Cuanto más pueda *estar* con la energía, como opuesto a tratar de hacerla funcionar, menos barreras inconscientes levantará y más poderosa podrá ser ésta. Mientras el ego es una parte natural de nosotros, el problema que crea para la curación es que quiere «hacer» y controlar la situación. No se da cuenta de que sus «aciones» obstaculizan el flujo de la energía. Todos los «intentos de acción» del ego –realmente una forma de resistirse a la vida tal como es– generan un tenso torbellino de actividad que bloquea la energía; la energía necesita relajación, receptividad y espacio para poder fluir. Además, si el ego piensa que es responsable de lo que sucede, llegará a estar muy apegado a los resultados. Esto también bloqueará el flujo de energía, pues si no sucede lo que el ego esperaba, automáticamente lo intentará con más obstinación, bloqueando así el flujo de energía. Puesto que la energía que cura no procede del ego, el ego no puede hacerla fluir. El ego no es responsable de la curación. Tampoco es responsable cuando se produce curación.[3] En el papel de sanador, usted tiene que *permitir* fluir a la energía, no tratar de hacer que suceda.

4. Nada de juicios. Todos los juicios que usted hace sobre otra persona tienden a generar separación y fomentan un actitud «yo/tú». La mayoría de los juicios (en oposición a las percepciones, que no tienen ningún contenido moral) no son nada más que reflejos de nuestra propia pretensión de superioridad moral. No es necesario decir que esto no ayuda al flujo de energía. Los juicios proceden del ego, que disfruta sintiéndose mejor y «más correcto» que otras personas. Puesto que todos tenemos la costumbre de hacer juicios, si oye a su mente hacer un

3. La curación es un proceso mutuo. *Nadie puede ser curado de algo de lo que no está dispuesto a liberarse.* El sanador es responsable de canalizar la energía más limpia posible. Empero, finalmente es la otra persona quien decide (en general, de manera inconsciente) el modo en que se utilizará esa energía curativa y si la curación tendrá realmente lugar o no.

juicio, puede tomar nota sin identificarse o estar de acuerdo con él. Entonces el juicio no tiene ningún poder, ni sobre usted ni para bloquear su energía; sólo es un pensamiento efímero.

5. Conexión. Hay dos modos de percibir la conexión. Utilice el que funcione mejor en su caso (o utilice ambos). El primero es usar la perspectiva de que, puesto que todos somos seres humanos, somos una familia. Todos los demás seres humanos son literalmente sus hermanas y hermanos. Si usted percibe a alguien como parte de su familia, emparentado con usted, experimentará una sensación de conexión que no sentiría de otra manera. El segundo modo de percibir la conexión es entender que todos somos formas diferentes de energía. Mientras que resulta fácil diferenciar una forma de otra (una piedra no es un árbol), la energía que configura cada forma es la misma. Ya sea que llamemos a esta energía «Dios», la «esencia» de la existencia o simplemente energía, todos somos creados a partir de esta misma energía, y esta energía es lo que fundamentalmente somos. Esto quiere decir que en nuestro nivel más profundo, en el nivel en que nuestro ser es esa energía, también somos todas las formas que son creadas por ella, y todas las formas están absolutamente conectadas. En términos prácticos, esto significa que cuando trabajamos con alguien, realmente estamos ayudando a otra parte de nosotros mismos.[4]

4. Esta idea es la base del cuarto método de curación: «curación a través de la unidad.».

La percepción de la conexión es muy importante, pues mantiene nuestra conciencia de igualdad, ayuda a mantener al ego fuera de la escena y genera una profunda sensación de receptividad hacia la otra persona, y si encuentra a una persona con su corazón abierto, sin ego, sin juicios, y con una sensación de «nosotros», el sentimiento que casi seguramente surgirá es el amor incondicional.

6. Amor incondicional. El amor incondicional surge en forma automática de la práctica de las cinco primeras actitudes. También es un atajo: la práctica del amor incondicional crea y mantiene a las otra cinco actitudes. Cuando sentimos amor incondicional por alguien, no hay ni juicios, ni intentos de acción, ni sensación de desigualdad, ni percepción de la otra persona como un objeto impersonal, y existe una sensación de conexión. El amor incondicional no es algo que tiene que crearse. *El amor incondicional ya existe.* Simplemente está, oculto debajo de las capas de nuestros miedos, necesidades, deseos, juicios, intentos de acción, etc. Por tanto, usted no necesita crear amor incondicional; sólo necesita encontrar el lugar dentro de usted mismo donde ese amor ya existe. El amor incondicional ve a la persona más que al comportamiento de esa persona. Si usted está orientado espiritualmente, el amor incondicional ve al ser espiritual, afectuoso y puro dentro de la falta de memoria de la condición humana. Cuando siente amor incondicional por alguien, usted ha pasado por alto todas las capas externas de su personalidad, incluyendo los aspectos «negativos», las máscaras y los miedos. Ha creado una conexión directa con quien esa persona realmente es, una conexión que está libre del ego y de las simulaciones. Por consiguiente, el amor incondicional es la clave perfecta para cualquier situación de curación. Establece en forma automática la forma mental curativa para la canalización de la energía curativa. Es *en sí mismo* curativo y, fundamentalmente, constituye la base de toda curación. El amor incondicional va directamente hacia la fuente. Si lo practica, su trabajo de curación no sólo será eficaz, sino que también transformará su propia vida.

Ejercicio 2: amor incondicional

Éste es un ejercicio que consta de tres partes. Siéntense en sillas uno frente al otro, lo bastante cerca como para poder cogerse de las manos cómodamente. Una de las personas será A y la otra B. Escoja de antemano cuál será usted.

1. (Cinco minutos) *Persona A:* Cierre los ojos, expanda su conciencia y sienta lo que pueda sobre el cuerpo, la mente o los sentimientos de su pareja (aun cuando no crea que pueda hacer esto).

Persona B: Cierre los ojos y simplemente sea neutral.

2. (Cinco minutos) *Persona A:* Sin tocar a su pareja, cree dentro de usted las cinco primeras actitudes de la forma mental curativa, como si estuviese a punto de comenzar una sesión de curación con esa persona. En esta forma mental, usted se experimenta a punto de compartir la energía de curación *con* su

pareja, más que haciendo curación *sobre* ella,[5] y experimente una sensación de igualdad con su pareja: ustedes son dos individuos desempeñando papeles diferentes en una sesión de curación. Tampoco intente hacer nada; no se halla implicado ningún ego. Elimine de su mente todo juicio. Acepte a su pareja tal como es y vea si puede experimentar una sensación de conexión en el mismo nivel.

Persona B: Mientras su pareja está estableciendo su forma mental, usted permanece sentado y recibiendo. Esto quiere decir que no intenta hacer nada, pero se muestra receptivo a experimentar todo lo que suceda (en caso de que suceda algo).

3. (Diez minutos) *Persona A:* Después de haber creado las primeras cinco actitudes de la forma mental apropiada, céntrese en el lugar dentro de usted mismo donde siente amor incondicional por su pareja. Si este sentimiento ya apareció en la última parte del ejercicio, continúe centrándose en él. Cuando entre en contacto con ese lugar y ese sentimiento, dirija ese sentimiento hacia su pareja y tóquela con él. En otras palabras, siéntase realmente compartiendo este amor con su pareja. Empero, esto no implica ningún intento de acción. Simplemente permítase abrirse lo suficiente para compartir el amor incondicional que está sintiendo. Para enviar más amor, simplemente permítase experimentar más amor y compartir más amor. Recuerde

5. En los diversos ejercicios que se incluyen a lo largo de este libro, he tratado de alternar el uso de los pronombres personales. En algunos ejemplos el receptor, o pareja , es femenino, en otros masculino, y lo mismo sucede con el canalizador.

que no tiene que crear amor incondicional; todo lo que tiene que hacer es permitirse tocar el lugar en que ya existe dentro de usted.

Persona B: Limítese a sentarse y recibir, sin expectativas, abierto a todo lo que podría experimentar.

4. (Diez minutos). Para esta última parte, ambos hacen exactamente lo que estaban haciendo antes, pero esta vez la persona A sostiene las manos de su pareja. Además, mientras usted comparte mentalmente amor incondicional con su pareja, imagine visualmente y sienta que ese amor incondicional desciende por sus brazos y va a salir directamente a sus manos hacia la persona B. Empero, usted no tiene que hacer que esto suceda. Si imagina y siente que sucede y se permite compartir de este modo, sucederá en forma automática. Su intención guiará el flujo de energía.

Persona B: Siéntese y reciba todo lo que experimente, sin expectativas.

Cuando haya terminado, tómese unos pocos minutos para estirarse. Todavía no hable de lo sucedido. Cuando haya terminado de estirarse, repita el ejercicio invirtiendo los papeles. Luego hable de sus experiencias. Observen las diferencias entre sus experiencias de cada parte del ejercicio. *Acepte todo lo que sea su experiencia*. Si una persona sintió algo cuando estaba recibiendo y la otra no, eso está bien. Si una persona no fue capaz de sentir amor incondicional por la otra, eso también está bien. Con práctica llegará a ser más fácil. Al mismo tiempo, si hay un bloqueo emocional allí, debería explorarse. (Si se desea, puede repetirse cualquier parte del ejercicio.) Repasar, una a una, las actitudes de la forma mental puede ayudar a descubrir dónde está el bloqueo. Recuerde, el amor incondicional no tiene que crearse; ya está allí. No procede del ego. Surge de manera automática desde un nivel más profundo cuando se observan las cinco primeras actitudes de la forma mental curativa. O más simplemente, se produce cuando está dispuesto a tocar el lugar dentro de usted donde existe amor incondicional.

El amor incondicional es la base verdadera para toda curación. Crea la forma mental apropiada para toda canalización de energía curativa, y en todo método de canalización es la fuerza real debajo de todas las formas externas. Sin amor incondicional no existiría el dar y compartir, que es esencial para que se produzca toda curación. Puesto que el amor incondicional es la esencia interna de toda curación, puede utilizarse directamente como una fuente de energía, como veremos en el tercer método de canalización. Es importante recordar que cuando usted se siente bloqueado para dar amor incondicional, ese bloqueo no tiene nada que ver con la otra persona. El amor incondicional es *in*condicional, independiente del comportamiento. Por consiguiente, *el bloqueo siempre y únicamente tiene que ver con usted mismo.* Si mira atentamente, encontrará que todo lo que no puede aceptar o le disgusta profundamente en la otra persona es eso que ha negado o no puede manejar en usted mismo. Por tanto, la práctica del amor incondicional es una enseñanza continua: siempre le muestra el lugar en que *usted* está estancado, con lo cual le brinda la oportunidad de transformarse y crecer.

3. El primer método de canalización de energía curativa

La que procede del cielo

Todos sabemos que la Tierra tiene una atmósfera. En realidad, no podemos verla, pero no tenemos ninguna duda de que existe. Rodeando a la Tierra, además del aire, hay un campo electromagnético; ésta es la razón por la cual una brújula apunta al norte. Los cuerpos también tienen a su alrededor una especie de atmósfera electromagnética. Usted no puede verla, y es más difícil de detectar que la atmósfera de la tierra, pero es igualmente real. El nombre que se da a esa atmósfera es «aura», y como señalé en el prefacio, puede fotografiarse mediante la fotografía de Kirlian.

Aunque dije que en general no es posible ver el aura, las personas que desarrollan propiedades de clarividencia *pueden* verla. El halo que muchas personas vieron alrededor de la cabeza de Jesús era parte de su aura. Era uno de los centros de energía de su aura. Cuanto más evolucionada espiritualmente es una persona, más brillante y más fácil de ver se vuelve este centro particular de energía. El aura está formada por una energía etérea y un campo electromagnético. Más simplemente, puede ser considerada como un «campo de energía» que, a la vez, rodea al cuerpo y lo penetra, y así como la atmósfera de la tierra es mucho más densa en altitudes bajas que en la cumbre de una montaña, también el aura es mucho más densa en los cincuenta centímetros más cercanos al cuerpo que fuera de esa zona. La conciencia del aura es importante porque cuando usted canalice energía curativa para alguien, estará interactuando en forma considerable con su aura. De hecho, la canalización probablemente hará a sus manos lo bastante sensibles como para permitirle sentir el aura de la persona cuando canalice para ella.

En el capítulo 11, cuando aprenda a hacer un equilibrio del aura en profundidad, estará trabajando muchísimo con estructuras existentes en el aura llamadas «chakras». Los chakras son simplemente centros de energía que, como el aura, en general no pueden verse. Más adelante hablaré de los chakras. Por el momento es suficiente saber que, si bien la palabra «chakra» procede de las disciplinas yoga de la India, los chakras en sí mismos no pertenecen a los yoguis orientales más que las matemáticas y la ciencia pertenecen a Occidente. Con independencia de cuál sea el país que descubrió los genes, usted los tiene y son suyos. Del mismo modo, todos los seres humanos tienen chakras con independencia de quién los haya descubierto asignándoles un nombre. El último concepto importante que hay que comprender antes de aprender a canalizar energía curativa es la ley sobre el modo en que funciona esta clase de energía (igual a las leyes sobre el modo en que funciona la energía física). Esta ley dice muy simplemente: *La energía sigue al pensamiento*. Esto quiere decir que cualquiera sea el lugar en que usted coloque su conciencia y atención, de manera consciente o inconsciente, la energía irá hacia allí. Un ejemplo de esto es lo que sucedió en el último ejercicio: cuando usted imaginó (visualmente y con los dedos) la energía saliendo de sus manos, eso fue lo que sucedió. Otro ejemplo es el efecto placebo: si la gente *piensa* que se le ha dado una medicina eficaz, su estado suele mejorar, aun cuando no se le haya administrado ninguna. La energía sigue al pensamiento. Utilizaremos este concepto a lo largo del libro.

El principio del primer método

En este primer método de canalización de energía curativa, haremos uso de un centro de energía (un chakra) que existe en un espacio de cincuenta a sesenta centímetros por encima de la cabeza. Si bien este centro de energía se halla fuera del cuerpo, sigue estando dentro de su aura y es una parte de usted. Tiene la apariencia de un sol blanco. Cuando imagina y visualiza un sol blanco situado de cincuenta a sesenta centímetros directamente encima de su cabeza, la atención que usted lleva a esa zona concentra conciencia y energía en ese centro de energía, despertándolo y haciéndolo crecer y brillar con más fuerza. Siempre está funcionando en alguna medida, pero puesto que la energía sigue al pensamiento, cuando usted dirige la atención hacia él, de manera automática lo alimenta, abriéndolo y activándolo más plenamente.

Cada uno de los tres métodos de canalización de energía produce un tipo particular de energía. Todos ellos son curativos y todos ellos son poderosos. Pero cada uno tiene una característica propia por la cual destaca. Si sólo uno de estos métodos funciona fácilmente en su caso, le sugeriría que utilice ése en todo momento. Pero suponiendo que tenga cierta facilidad con todos ellos, a menudo un tipo de energía será más apropiado que los otros.

El primer método de canalización utiliza una energía que tiene las características de un «fuego blanco». Por consiguiente, es purificador y depurador. Si quiero desintoxicar a una persona o a una parte de ésta, o «quemar» un cáncer, ésta es la energía que utilizaré. Esta energía también es la más difícil y la más vigorosa de las tres. Por tanto, funciona mejor en estados confusos como cáncer, congestión, debilidad. Por otra parte, la tensión muscular es dura, por lo que una energía blanda la penetraría más fácilmente. El fuego blanco, al ser más duro, tendería a rebotar contra esta clase de tensión, pero arrastraría cosas que son blandas. Las palabras clave para esta energía son «fuerza» y «purificación».

Desarrollar la energía

Los dos componentes de la pareja van a aprender a realizar la canalización básica al mismo tiempo. Colóquense en una posición relajada con una cantidad generosa de espacio entre ustedes, a fin de que atención no se distraiga por la conciencia de la otra persona parada demasiado cerca de usted. (Si le resulta difícil permanecer parado durante alguno de estos ejercicios, puede sentarse en una silla.) al principio tendrán los ojos cerrados y luego al final, una vez que la energía se desplace plenamente, los abrirán de modo que puedan practicar la canalización con los ojos abiertos.

Paso 1. Ocupe su puesto, cierre los ojos y tómese un minuto para centrarse a través de recibir aliento. No se preocupe por lo que está haciendo su pareja; cuando hayan terminado, comentarán sus respectivas experiencias. Sea consciente de usted parado en la habitación en medio de un rectángulo de un tamaño considerable. Cuando se sienta relajado, imagine que hay una luz blanca situada a unos cincuenta a sesenta centímetros directamente encima de su cabeza. Limítese a permanecer parado con los brazos a los lados, imaginando a este sol encima de su cabeza. Sienta sus rayos y su luz cayendo sobre usted y penetrando directamente por la coronilla de su cabeza, llenando su cabeza de luz. Experimente la sensación maravillosa de su luz radiante. Si usted es religioso, puede imaginar a esta luz como la luz de Dios o el amor de Dios. También puede imaginarla como esa energía pura que colma toda la creación. O, cuando visualice este sol blanco, puede experimentar la sensación maravillosa de su luz imaginándola sólo como lo que es. Utilice la forma que funcione mejor en su caso. Si decir mentalmente las palabras «sol blanco» le ayuda a mantener la visualización, también puede hacerlo.

No continúe al paso 2 hasta que sienta la energía de este sol a su alrededor y entrando por su cabeza. Si tiene alguna dificultad con esto, imagine al Sol un poco más alto por encima de su cabeza. (Sugiero probar esto en cualquier caso, para ver si hace más intensas las sensaciones de su luz y energía.) Otra cosa a tener presente es permanecer relajado. Aquí no tiene que haber ningún intento de acción. Aunque esté imaginando activamente al Sol, en realidad el Sol ya está allí. Su visualización sólo le ayuda a llegar a ser consciente de ello. Una vez que ha llegado a ser consciente de ello, la cantidad de luz que penetra depende más de cuán abierto esté a ella –de cuánto pueda abandonarse a ella– que de lo mucho que se concentre.[6]

Paso 2. Cuando su cabeza esté llena con la luz blanca del sol, sienta la energía descender por todo su cuerpo, llenando su torso, sus brazos y sus piernas, y saliendo directamente por sus manos y las plantas de sus pies. Es importante sentir la energía saliendo realmente a través de sus cuatro extremidades, y recuerde, mientras está experimentando la luz que recorre todo su cuerpo, mantenga su atención conec-

6. Si usted es una de esas raras personas que no pueden canalizar fácilmente la energía que procede del cielo –su chakra octavo–, simplemente relájese. El segundo método probablemente funcionará con mayor facilidad en su caso.

tada con la fuente de la luz, el Sol encima de su cabeza. Usted está absorbiendo su resplandor. Su luz y energía se derraman sobre usted y le penetran, purificando su cuerpo.

Paso 3. Cuando pueda sentir la energía del sol desplazándose fácilmente a través de su cuerpo y saliendo por sus extremidades, imagine que las plantas de sus pies llegan a cerrarse, por lo que la energía desciende hasta sus pies pero no sale por las plantas. Todo lo que tiene que hacer es visualizar o sentir esto para que suceda; la energía siempre sigue al pensamiento.

Paso 4. Cuando haya cerrado las plantas de sus pies, mantenga las manos cómodamente delante de usted con las palmas enfrentadas, a una distancia de diez a quince centímetro. Mientras mantiene las manos de este modo, con la conciencia conectada al Sol encima de su cabeza e imaginando que su energía le penetra y se desplaza por su cuerpo, debería comenzar a sentir un hormigueo en y entre sus manos. Cuando lleve su conciencia hacia esta sensación (al mismo tiempo que mantiene su conciencia conectada con el Sol), la sensación irá haciéndose más intensa. Incluso puede llegar a ser tan intensa que sentirá como si la energía separase sus manos si las mantiene relajadas. Permanezca durante unos minutos en este flujo de energía. Si mueve sus manos ligeramente hacia un lado y otro, jugando con la energía, puede desarrollar una sensación mejor. También podría tratar de ver cuán separadas puede mantener sus manos sin dejar de sentir la energía.

Verifique de vez en cuando para asegurarse de que la energía también desciende hacia sus pies. Cuando más implicado esté su cuerpo en la canalización, más energía tendrá a su disposición.

Si en algún momento pierde la sensación de la energía entre sus manos, relájese y libérese de cualquier intento de acción. Simplemente permita que la energía sea como está imaginándola. A veces ayuda asegurarse de que no está inclinando hacia delante o echado hacia atrás; párese erguido y permítase relajarse. Si el flujo de energía no se restablece, vuelva a comenzar en el paso 1.

Paso 5. Cuando sienta que la energía está bien establecida, abra los ojos y vea si puede seguir conservando la conciencia que mantiene el flujo de energía. Vea si puede mantener el flujo de energía mientras contempla objetos en la habitación.

Finalización. Cuando pueda canalizar la energía fácilmente con los ojos abiertos, estará en condiciones de detenerse, y cuando ambos se hayan detenido, compartan (sin competir) sus experiencias. Si usted termina antes que su pareja, no le meta prisa. Déle tanto tiempo como necesite.

Nota de advertencia. Con este método de canalización de energía curativa recuerde permitir que la energía del sol descienda hacia usted, más que dejarse llevar flotando hacia arriba hasta el Sol. Su *conciencia* se eleva hacia el Sol, pero *usted permanece en su cuerpo*. Éste es un punto difícil de explicar si nunca se ha experimentado «fuera de su cuerpo».[7] Sólo ha sucedido dos veces en mis talleres de trabajo, por lo que es sumamente raro y no es algo para preocuparse. Si usted fuese una de las pocas personas que flotan elevándose hasta el Sol y salen de su cuerpo, se sentirá «en el aire» o mareada, o ambas cosas. Para aliviar estos síntomas, siéntese, extienda los brazos por encima de la cabeza e imagine que se coge usted mismo y empuje lentamente la cabeza hacia abajo. Luego siéntese con las manos sobre la coronilla de su cabeza durante unos pocos minutos y los síntomas deberían desaparecer. Si no lo hacen, su pareja puede probar a volver a llevarle la cabeza hacia abajo. Si los síntomas siguen persistiendo, acuéstese durante quince minutos mientras su pareja le sostiene (sin apretar) los dedos gordos de los pies (para ayudarle a volver a conectar con la tierra). Si esto tampoco le ayuda, no se preocupe: no corre ningún peligro y sus síntomas si disiparán en el curso del día.

Mientras usted está canalizando, si siente la energía descendiendo hacia sus pies, al mantenerse conectado con la tierra no tendría ningún problema «fuera del cuerpo».

Canalizar la energía del sol hacia otra persona

Esta forma de canalización hace uso de lo que yo llamo «carga de campo». Usted desarrolla una carga excesiva de energía curativa positiva en el cam-

7. Ésta no es la experiencia «fuera del cuerpo» asociada con el viaje astral.

po de energía de su aura y comparte esa carga extra con algún otro. Puesto que desarrolla esta carga de campo antes de dirigirla realmente hacia alguien, en el momento en que la dirija su aura estará mucho más cargada con energía positiva que el aura de la persona que está recibiendo. A través de esta diferencia en la carga, la energía puede transferirse o compartirse. Pero puesto que la energía concentrada y excedente tenderá a difundirse hacia zonas que tienen menos energía, la transferencia de carga también puede suceder rápidamente. Entonces la carga positiva desaloja su campo áurico cargado antes de que su canalización pueda sustituirla. Como consecuencia, su campo cargado se desploma, tal como se desinfla un globo cuando sale todo el aire que tenía dentro. Puesto que el cambio se produce de modo tan repentino, ello puede poner el campo electromagnético en su aura temporalmente fuera de equilibrio, haciéndole sentirse cansado y dificultando el restablecimiento de la canalización durante un rato. Cuánto tiempo tardará su aura en reequilibrarse depende de hasta qué punto haya permitido que su campo se desplome, Como máximo, podría tardar una hora o poco más, pero el hundimiento del campo no será un problema si se toman dos precauciones simples.

Precauciones

1. Cuando canalice desde arriba, acérquese al cuerpo de la otra persona *lentamente*. Comience con sus manos a unos treinta centímetros de la cabeza de su pareja, y vaya acercándose lentamente. Esto le per-

mitirá controlar la velocidad a la cual la energía curativa se transfiere hacia la otra persona. La transferencia en realidad empieza toda vez que sus dos auras se tocan o que la energía que sale de sus manos toca el aura de la otra persona, pero aunque las auras normalmente se extienden a una distancia considerable de un cuerpo y pueden ser mucho más grandes en un estado de canalización/cargado, puesto que son relativamente sutiles hasta que el canalizador se acerca al cuerpo, no hay mucho contacto o transferencia de energía hasta que usted se halla cerca físicamente. A una distancia de treinta centímetros todavía es bastante sutil comparada con la densidad de los últimos ocho centímetros. El contacto y la transferencia son mayores cuando usted realmente toca el cuerpo de la otra persona. Probablemente sentirá este cambio en la densidad del aura de su pareja cuando lentamente se acerque más con su canalización, pero si al principio no es consciente de ello, no se preocupe; la sensibilidad llegará más adelante.

2. Toda vez que sienta que pierde su carga de campo, deténgase y despéjese: retroceda unos cuantos centímetros, sacuda las manos y restablezca el flujo de energía y la carga de campo. Luego retome la canalización con su pareja. La razón para sacudir las manos es que cuando las saca fuera del aura de su pareja probablemente se llevará con usted algunos «desechos». Estos desechos son las cargas «negativas» generadas por varias formas de estrés mental, emocional y físico. La canalización limpia estas cargas negativas, sacando algunas por las extremi-

dades y purificando otras al cargarlas y convertirlas en luz. Estos desechos se pegan a sus manos por la misma razón que lo hace el agua cuando las sumerge en ella; y por la misma razón sus manos huelen a humo si las pone sobre un fuego. Los desechos en el aura, aunque invisibles, tienen densidad y sustancia. Cuando saque sus manos del aura de su pareja, algo de esos desechos quedará adherido a usted. Esto no es nada para preocuparse. Sacudirse las manos no es más que un modo fácil de liberarse de ellos. Si no se sacude las manos, cuando retome la canalización, estará volviendo a poner los desechos en el aura de su pareja y entonces tendría que trabajar mucho más para limpiarla. Por eso debe sacudirse las manos *lejos* de su pareja.

Después de sacudirse las manos, puesto que ahora estarán limpias y libres de desechos, debería restablecerse casi en forma instantánea una fuerte canalización. Además, teniendo en cuenta que ha sacado una buena parte de carga negativa del área de su pareja, cuando empiece a canalizar nuevamente hacia su cabeza, encontrará menos resistencia que antes. Por tanto, es útil retroceder periódicamente y sacudirse las manos al comienzo de la canalización cuando haya todavía una gran carga negativa en el aura de la otra persona, aunque usted no esté perdiendo su carga de campo. A menudo la sensación de pérdida de carga de campo es provocada simplemente por una gran carga negativa que se resiste al flujo de su canalización. Al liberar parte de esta resistencia sacándola con sus manos hace que la canalización pase con mayor facilidad a través de su pareja cuando usted vuelva a su aura, con lo cual se logra que se sienta con más fuerza. (Esto es especialmente cierto para el primer método de canalización. Puesto que se trata de una energía más dura, ofrece mayor resistencia que las otras energías y funciona *empujando* hacia fuera la resistencia del aura de la persona, mientras que las energías más blandas tienden a filtrarse a través del aura y a *transformar* la carga negativa.)

De manera lenta, el aura de su pareja comenzará a tener la misma cualidad de energía y carga positiva que la suya. Entonces usted no sentirá mucha resistencia en absoluto; será como si sus dos auras se hubiesen fundido en una sola, por lo que habrá poca energía separada de usted ofreciendo resistencia. Cuando eso suceda, puede tocar con sus manos la coronilla de la cabeza de su pareja sin perder una cantidad significativa de su carga de campo. En este punto la canalización debería ser capaz de reponer la cantidad que usted perderá sin tener que retroceder. Por otra parte, si en algún momento siente necesidad de retroceder y restablecer la canalización, tómese tiempo para hacerlo.

Por extraño que pueda parecer, cuando sus dos auras lleguen a estar casi igualadas, probablemente usted sentirá una disminución en la cantidad de energía que fluye, pero esto no es lo mismo que la disminución de velocidad creada por la resistencia inicial por parte de la carga negativa del receptor. En este caso, puesto que el aura de su pareja ya está cargada, existe poco flujo de energía desde su aura a la de su pareja. La energía sigue estando allí, pero hay poco flujo. Ahora es el momento de trabajar sobre problemas específicos o zonas del cuerpo que aún necesitan más energía. Mientras realiza la canalización, mantenga sus manos directamente sobre esas zonas de problemas. Ahora incluso puede tocar esas zonas sin hacer que se desplome su carga de campo, concentrando así la energía curativa directamente en el lugar que más la necesita. Si no hay ningún problema específico y usted sólo está haciendo una revitalización general más que un equilibrio general en profundidad, esta igualación le dice que la canalización ahora es completa.

La canalización

La persona que va a canalizar en primer término se para a una distancia considerable (algo menos de un metro) detrás del receptor, que se halla sentado en una silla. Si es necesario, puede situarse un poco más lejos, dependiendo de su propia necesidad de espacio para establecer la canalización.

Paso 1. Primero usted (el canalizador) necesita relajarse, centrarse a través de la recepción de su aliento, y generar la forma mental curativa.

Paso 2. Imagine el sol blanco a una distancia de cincuenta a sesenta centímetros por encima de su cabeza, y desarrolle el flujo de energía para este método de canalización.

Paso 3. Cuando se establece la canalización y usted siente fuertemente la energía en sus manos, adelántese y mantenga sus manos aproximadamente a unos treinta centímetros por encima de la cabeza del receptor, de manera que las palmas quedan a medio camino de enfrentarse y de apuntar hacia la cabeza del receptor. Es más fácil sentir y mantener la energía cuando las palmas están parcialmente enfrentadas, pues usted puede canalizar la energía que rebota de un lado a otro entre sus manos. Al mismo tiempo, las manos tienen que estar apuntando parcialmente hacia la cabeza de la pareja a fin de que la energía se mueva de ese modo.

Paso 4. Lentamente, lleve sus manos más cerca de la cabeza del receptor. Aun cuando sólo hay «aire» entre sus manos y la cabeza del receptor, usted probablemente empezará a sentir alguna resistencia a medida que se acerca más. Esto disminuirá con el tiempo. Si en algún momento siente que su flujo de energía disminuye demasiado, retroceda, sacúdase las manos, recuerde la forma mental apropiada y restablezca la canalización. Es una buena idea limpiarse de este modo al menos una vez, y dependiendo de usted y de la persona con quien está trabajando, quizá necesita hacer esto seis o más veces antes de que se igualen sus auras. Recuerde que aquí no debe haber ningún intento de acción. Todo lo que usted hace es abrirse a una energía que ya está allí. Simplemente la asiste siendo un vehículo para esa energía y orientándola a través de la visualización.

Paso 5. Para ayudar a desplazar la energía a través de su pareja, visualícela moviéndose por su cabeza y su cuerpo, y saliendo de sus manos y de sus pies. Usted no está guiando simplemente la energía hacia su cabeza; está visualizándola moviéndose a través de la cabeza y el resto del cuerpo del receptor.

Paso 6. Haga la canalización durante quince minutos. Al final de ese tiempo, su pareja debería haber absorbido suficiente energía para canalizarla con sus manos colocadas directamente sobre la coronilla de su cabeza sin hundir su carga de campo (aunque todavía puede haber un poco de trasvase de la carga de campo). Haga esto durante uno o dos minutos. Si lo prefiere, puede esperar hasta sentir que sus auras están más igualadas. O puede canalizar mientras toca la cabeza del receptor durante diez segundo para ver cuánto trasvase se produce. Luego quite las manos y continúe canalizando hasta que se produzca más igualación. Después vuelva a colocar las manos sobre la cabeza del receptor mientras continúa canalizando. La igualación plena (no necesaria en este punto) suele requerir aproximadamente media hora.

Paso 7. Cuando haya colocado sus manos sobre la cabeza del receptor y esté preparado para continuar, tiene que retroceder, sacudirse las manos y luego desconectar sus auras, que de algún modo han llega a estar fusionadas. Para hacer esto, sostenga la palma de una mano enfrentando al receptor y la otra mirando hacia el suelo, y mueva suavemente cada mano en la dirección en que se halla cada palma. Puede imaginar que está separando dos nubes que han llegado a estar entremezcladas. Haga esto a poco menos de un metro detrás del centro de la espalda del receptor, luego una o dos veces detrás de cada lado del cuerpo y después unas pocas veces más cuando se aparte de él. Lo más importante es tener presente la *intención* de separarse (la energía sigue al pensamiento). (Una vez que yo estaba trabajando con una mujer y alguien llamó a la puerta, olvidé separar nuestras auras cuando me dirigí a atender el llamado. La mujer estaba acostada sobre una mesa y cuando de repente me aparté de ella, fue llevada hacia una posición sedente por el tirón de mi aura entremezclada con la suya al alejarse de ella.) Si olvidó separar sus auras, ellas se separarán naturalmente en el curso de las horas siguientes. Cuando separe sus auras, su pareja habitualmente sentirá el cambio cuando una vez más se encuentre en su «propio espacio».

Finalización. Cuando sus auras se hayan separado, tómese unos pocos minutos para estirarse y relajarse, y luego el receptor será el canalizador. Cuando ambos hayan hecho la canalización, compartan sus experiencias.

Es importante tener presente que si usted siente energía curativa en sus manos, está produciéndose transferencia de esta energía, lo sienta o no la otra persona. En una ocasión trabajé con una mujer muy escéptica que tenía una resaca seria. Había tomado un par de aspirinas, que no la habían ayudado. Decidió permitirme canalizar para ella, a pesar de no creer en que pudiese suceder algo, simplemente porque las palpitaciones que sentía en la cabeza le causaban bastante dolor. Canalicé durante quince minutos, y luego le pregunté si había sentido algo mientras yo realizaba la canalización. La mujer me dijo que no había sentido nada. Pero cuando se levantó descubrió, para su sorpresa, que el dolor de cabeza y la resaca habían desaparecido por completo. Lo que el receptor experimenta de manera consciente no es necesariamente un indicador exacto de lo que está sucediendo.

4. El segundo método de canalización de energía curativa

La que procede de la Tierra

El principio del segundo método

En este método de canalización de energía curativa, usaremos a la Tierra como fuente de energía. La Tierra posee una cualidad curativa y protectora, que fomenta una sensación de seguridad y bienestar. El color que mejor genera estas cualidades es el verde, por lo que la energía de la tierra con que trabajaremos fundamentalmente es el verde, aunque también experimentaremos con otros colores. El verde es el color curativo esencial. Es el color de la salud física y del crecimiento, y favorece la regeneración. Cuando el cuerpo está lesionado, el aura envía energía verde hacia esa zona para colaborar en el proceso curativo.

En el primer método de canalización trabajamos con una energía semejante al Sol, por lo que era natural que procediese de arriba de la cabeza. Con el segundo método, puesto que la Tierra está debajo de nuestros pies, es más natural hacer subir la energía a través de sus plantas. Las personas que pertenecen al tipo «etéreo» pueden encontrar al primer método más fácil que éste. Tales personas suelen tener una resistencia emocional a «sentir sus pies». Por otra parte, a las personas de tipo «terrenal» tal vez les resulte más fácil el segundo método. Estas personas pueden sentirse un poco incómodas tomando energía que procede de arriba; pueden sentirse mareadas o como estando en otro mundo.

La energía terrenal verde con que estaremos trabajando no tiene el resplandor de la energía solar del fuego blanco; es más sedante y densa, aunque resulta más blanda (menos dura y resistente) y mucho más confortante. Por ejemplo, esta energía terrenal verde funciona mejor que el fuego blanco para la tensión muscular. Penetra más fácilmente y su cualidad confortante ayuda a los músculos a relajarse y liberarse. Si un órgano o un hueso necesita curación, la energía terrenal es más apropiada. No obstante, si un órgano está enfermo, podría purificarlo primero con la energía de fuego blanco, y luego darle energía terrenal y verde para ayudarle a recuperarse y regenerarse. Esta estrategia también funcionaría muy bien para alguien con gripe. Las palabras clave para esta energía terrenal verde son «seguridad», «salud» y «regeneración».

Desarrollar la energía

Como con el primer método, los dos integrantes de la pareja van a aprender la canalización al mismo tiempo, Por consiguiente, deberían situarse en una posición relajada, con un espacio generoso entre ambos para evitar distracciones.

Paso 1. Cuando haya tomado posición, cierre los ojos, relájese y céntrese a través de recibir aliento respirando lenta y profundamente. Sea consciente únicamente de hallarse parado en la habitación con un buen espacio a su alrededor. Cuando se sienta relajado, imagine que está parado descalzo en un campo de hierba extraordinariamente verde. Realmente sienta el verdor a su alrededor. Sienta lo sedante y curativo que es. Luego imagine que al relajar las plantas de sus pies puede absorber hacia su cuerpo la energía verde desde la hierba y la tierra. Todo lo que tiene que hacer es relajarse, abrir las plantas de sus pies e imaginar a esa energía terrenal verde filtrándose en su cuerpo y llenándolo por completo. No trate de forzar a la energía para que fluya. Simplemente permitir que la energía ascienda hacia su cuerpo es suficiente para que eso suceda. Deje que la energía ascienda hasta su cabeza y luego permítale continuar subiendo hasta llegar al centro de energía encima de su cabeza, el mismo que utilizó en el primer método de canalización. Ahora no está usando al Sol como una fuente de energía; sólo está dejando que la energía de la tierra suba hasta la cabeza. Esto puede provocar la sensación de que se halla parado en una columna de luz verde que va desde sus pies hasta el centro de energía encima de su cabeza. Si decir mentalmente «energía verde» o «energía terrenal verde» le ayuda a mantener la sensación de la energía, tómese la libertad de repetir esas palabras para usted. Esencialmente, la fuerza de la energía de la tierra depende de cuán abierto se halle para experimentarla y de que le permita desplazarse a través de usted. Por tanto, simplemente relájese y permítase experimentar el flujo de energía.

Paso 2. Cuando sienta todo su cuerpo completamente colmado con esta energía terrenal verde, sostenga sus manos delante de su cuerpo con las palmas enfrentadas. Si permanece relajado y mantiene su conciencia conectada con la fuente de la energía, al cabo de unos pocos minutos debería sentir energía en y entre sus manos. Empero, la sentirá un poco diferente de la primera energía, de modo que mantenga su mente libre de expectativas acerca de cómo debería sentirla. Una vez que comience a sentir la energía en sus manos, llevar conciencia a esta sensación (permaneciendo conectado al mismo tiempo con la fuente de la energía) aumentará la fuerza de la sensación. Puede haber una tendencia a encorvarse cuando utilice este método de canalización (casi como si estuviese tratando de acercarse más a la Tierra, la fuente de la energía). Si permanece erguido (no rígido) y relaja su espalda manteniéndola abierta, a la energía le resultará más fácil ascender a través de su cuerpo, hasta el centro de energía encima de su cabeza. Cuanto más espacio pueda hacer dentro de usted para la energía, más fuerte será ésta.

Paso 3. Cuando sienta que la energía está bien establecida, abra los ojos y vea si puede mantener la conciencia que hace que la energía siga fluyendo. Vea si puede mantener la energía mientras contempla objetos en la habitación.

Paso 4. Cuando pueda canalizar fácilmente con los ojos abiertos, trate de utilizar energía terrenal blanca en lugar de verde. Simplemente imagine que puede atraer cualquier energía de color que desee desde la Tierra a través de sus pies. Cuando se sienta establecido con la energía terrenal blanca, trate de cambiar a violeta. Luego pruebe con rojo. Después con azul. Experimente con unos pocos colores más. Observe como los distintos colores se sienten de manera diferente cuando usted los canaliza.

Finalización. Cuando ambos hayan terminado de experimentar con colores, compartan sus experiencias. Si usted terminase antes que su pareja, no la apremie; concédale tanto tiempo como necesite.

Canalizar la energía terrenal hacia otra persona

A diferencia de la energía del sol, la energía terrenal no trabaja con una carga de campo, por lo que no tiene que pensar que su campo áurico cargado se derrumba. Aunque su aura llegará a estar cargada utilizando este segundo método de canalización, no resultará sobrecargada con un exceso de energía. Además, puesto que esta energía resulta más densa, va de abajo hacia arriba y es menos vigorosa que la energía del sol, no se desplaza con tanta rapidez y la carga en su aura no puede salir tan velozmente. Por consiguiente, aunque tocar el cuerpo de una persona muy rápidamente con esta energía curativa disminuirá la velocidad de su flujo e incluso puede llegar a detenerlo (cuando el aura subcargada de la otra persona drene su carga de energía terrenal), usted no quedará fuera de equilibrio, y después de retroceder y sacudirse las manos, debería estar en condiciones de reiniciar la canalización de inmediato. Sin embargo, para evitar confusión es mejor trabajar lentamente a través del aura del receptor hacia su cuerpo físico. Como en el primer método, cuando comienza a cargar el aura, los desechos y cargas negativas pueden acumularse en sus manos, ofreciendo resistencia a la canalización. Si siente que el flujo de energía se desacelera de manera significativa, tiene que detenerse y limpiarse. Retroceda, sacúdase las manos hacia un costado y restablezca el flujo de energía. Luego puede retomar la canalización. En algún momento el aura del receptor llegará a estar plenamente cargada y se producirá el mismo tipo de igualación que se llevó a cabo con el primer método. En ese punto, puede pasar a un trabajo más específico, o finalizar la canalización y proceder a desconectar sus auras (véase paso 7, página 54).

La canalización

La persona que está canalizando se sitúa aproximadamente a una distancia de un metro detrás del receptor, que se halla sentado en una silla.

Paso 1. En primer lugar, usted (el canalizador) tiene que relajarse, centrarse a través de recibir aliento y crear la forma mental creativa.

Paso 2. Imagine que está parado en un campo de hierba extraordinariamente verde, abra las plantas de sus pies y desarrolle el flujo de energía para este método de canalización. Recuerde mantener la espalda abierta y relajada. Vea si puede permitir a la energía que ascienda hasta el centro energético encima de su cabeza.

Paso 3. Mantenga las manos delante de usted y cuando sienta el flujo de energía entre ellas, acérquese más al receptor y gradualmente ábrase paso a través de las partes más densas del aura en torno a su cabeza. Cuando sea necesario, retroceda y sacúdase las manos, recuerde la forma mental adecuada y restablezca la canalización.

Paso 4. Mientras está canalizando, recuerde visualizar la energía descendiendo desde la cabeza del receptor a través de todo su cuerpo y saliendo por sus manos y pies.

Paso 5. Mientras está canalizando, trate de «controlar la energía» en el cuerpo del receptor. Esto quiere decir que, puesto que la energía está ocupando el cuerpo del receptor y teniendo en cuenta que usted se halla conectado a esa energía, cuando la visualice desplazándose, estará en condiciones de «controlarla» y de detectar dónde aparece bloqueado su flujo. Esto es utilizar le energía como un rayo X. Mientras usted observa la energía, alguno de los dos puede ser capaz de *sentir*, más que *ver*, un bloqueo de manera intuitiva. No se desanime si tampoco puede hacer esto; con el tiempo lo conseguirá. Si puede ver o sentir un bloqueo, envíe más energía hacia esa zona (sin apartar sus manos de encima de la cabeza del receptor) y compruebe si puede mover el bloqueo haciéndolo salir por una de las extremidades. Cuando busque bloqueos, puede examinar los diversos órganos y articulaciones, incluyendo la zona pélvica. (El «control de la energía» también puede hacerse con el primer método de canalización. No lo mencioné antes sólo para evitar abrumarle con demasiadas posibilidades muy rápidamente.) Cuando sea necesario, acuérdese de retroceder y sacudirse las manos. Recuerde también que no debe haber ningún intento de acción. Usted no está creando esta energía; la energía ya existe. Todo lo que usted hace es permitirse sentir la energía y ser un vehículo para ella. La fuerza de la energía procede básicamente de su receptividad hacia ella.

Paso 6. Continúe la canalización durante diez o quince minutos y luego coloque sus manos sobre la coronilla de la cabeza de su pareja y siga canalizando durante un par de minutos más.

Paso 7. Vuelva a colocar las manos encima de la cabeza de su pareja y canalice energía terrenal blanca durante un par de minutos; luego cambie a violeta. (El violeta suele ser un buen color con el cual trabajar, porque tiene una elevada vibración espiritual.) Continúe experimentando con otros colores. También puede realizar la experiencia de que su pareja trate de adivinar qué color está canalizando. Avise a su pareja toda vez que esté a punto de cambiar a un color nuevo.

Finalización. Cuando haya terminado, retroceda, sacúdase las manos y luego desconecten sus auras (véase paso 7, página 54). Tómense unos minutos para estirarse y hablen de sus experiencias con los colores. Luego cambien los papeles, a fin de que el receptor sea el canalizador.

5. El tercer método de canalización de energía curativa

La que procede del corazón

El principio del tercer método

Para el tercer método de canalización de energía curativa, utilizamos como fuente energética al corazón espiritual. La cualidad fundamental de esta energía es el amor, y puesto que todo en el universo irradia alguna cualidad de amor, estaremos en condiciones de emplear esta «canalización a partir del corazón» para reproducir cualquier vibración curativa con la que estemos familiarizados y de canalizarla a través de nuestras manos.

La canalización a partir del corazón emplea una energía que es menos densa que las otras dos energías curativas, cuya fuerza o poder es menor. Sin embargo, es tan eficaz como las otras, e incluso más eficiente en las situaciones en que resulta más indicada. Puesto que es la energía más blanda, puede penetrar los nudos de tensión muscular más duros. Por ser una energía tan sutil, penetra muy profundamente en el ser de una persona y es capaz de liberar las causas de la enfermedad física: los traumas emocionales y psíquicos profundamente bloqueados. Algunas veces quizá prefiera utilizar uno de los otros dos primeros métodos para eliminar bloqueos en un nivel más denso, más físico, y emplear luego la canalización a partir del corazón para producir una transformación más profunda. En general, recomiendo esta estrategia para los equilibrios en profundidad, más prolongados, que realizaremos en la segunda mitad del libro.

Las personas que son predominantemente emocionales o espirituales pueden adoptar este modo de canalización con más facilidad que aquellas que están orientadas de un modo más racional. Empero, la mayoría de la gente estará en condiciones de aprender los tres métodos, aun cuando prefiera uno de ellos.

Existen muchas maneras de crear una fuente para este tercer método de canalización. La más directa consiste simplemente en crear dentro de usted mismo un estado de amor incondicional por la persona con la que está trabajando. Ese amor sería la fuente de energía para la canalización, y puesto que esto no aparta a su mente de lo que sucede en el momento presente, le permite estar más conectado con su pareja y ser más consciente de lo que ocurre dentro de ella. Además, debido a que la utilización de este método le enseña a experimentar a la gente a través del amor incondicional, tiende a fomentar en el canalizador más crecimiento personal y espiritual que los otros dos. Por estas razones, esta manera de canalizar a partir del corazón es preferible, pero cada persona debería utilizar el método que funcione mejor en su caso. (Puede ayudar releer el apartado sobre amor incondicional, página 34.)

Si usted es una persona religiosa u orientada espiritualmente, podría imaginar que se halla en presencia de Dios, o que siente el amor divino, o el amor de un santo o de un guía espiritual. Cuando el sentimiento crezca en su corazón, puede permitir que esta energía se difunda hacia sus manos a fin de poder canalizarla para la otra persona.

Si usted no es religioso en absoluto, podría recordar el momento de su vida en que se sintió más feliz, embelesado o enamorado (recuerde el ejercicio 1, página 26). Podría utilizar el recuerdo de ese sentimiento para generar una canalización a partir del corazón que esté en condiciones de compartir con la otra persona en el presente. Esto también podría realizarse utilizando como fuente una fantasía, o simplemente imaginando el amor más profundo que piensa que sería capaz de sentir. Cuando lo imagine, lo sentirá.

Si es padre, podría emplear como fuente el amor que siente por sus hijos. Incluso podría tratar de percibir al niño que hay dentro del adulto para quien está canalizando, a fin de ayudar a sacar a relucir esos sentimientos afectuosos y protectores que existen dentro de usted.

Existen también innumerables fuentes menos obvias. ¿Le gusta el olor a rosas? Podría imaginarse rebosante de olor y esencia de rosas. Podría canalizar el amor que siente por las rosas o considerar su aroma como una categoría particular de amor que emite una rosa, y luego simplemente dejar que el amor, el amor procedente de la rosa, penetre en usted, tal como dejó que lo hiciese la energía de la tierra. Pero ahora, en lugar de entrar por sus pies, el amor de la rosa entra en su corazón. Entonces, en realidad usted está *canalizando rosas*. Del mismo modo, podría canalizar cualquier flor o planta, o incluso cualquier energía de cristal cuyas propiedades curativas serán apropiadas para una situación determinada. (Con los cristales, simplemente recuerde el modo en que siente la energía de ese cristal –su tipo particular de amor– y déjela penetrar en su corazón y salir de allí hacia sus manos.)

De hecho, con este método *usted puede atraer cualquier tipo de amor que perciba y convertirse en un canal para que éste pase por su corazón en dirección a sus manos*.

Como con los dos primeros métodos, aquí no debe haber ningún intento de acción. Esta energía procedente del corazón ya existe; no tiene que crearla. Que llegue bien depende por completo de lo dispuesto que esté a experimentarla. La energía procedente del corazón resultará más sutil y blanda en sus manos que las dos primeras energías. Puede haber un cierto resplandor en ella, pero en todo caso será mucho más débil que el de la energía del sol. Esta energía procedente del corazón es sumamente apacible. En el *Tao Te Ching* se dice:

Lo más blando del universo
Vence a lo más duro del Universo.

Lo que carece de sustancia
Puede entrar donde no hay espacio.[8]

Las palabras clave para esta energía procedente del corazón son «amor incondicional».

Desarrollar la energía

Como con los dos primeros métodos, ambos participantes aprenderán a canalizar al mismo tiempo.

Paso 1. Cierre los ojos, relájese, olvídese de su pareja y céntrese en usted mismo a través de recibir aliento. Simplemente sea consciente de hallarse parado en el cuarto con un amplio espacio a su alrededor. Luego escoja el método que prefiera para desarrollar esta energía procedente del corazón. Si va a utilizar el amor incondicional, imagine que hay alguien (además de su pareja)[9] delante de usted por quien siente este amor incondicional. Sea cual sea la fuente que esté usando para conectarse con la energía procedente del corazón de esta canalización, permítase experimentar tanto amor incondicional como pueda. Cólmese con ese amor. Permítase rendirse a él por completo. Con la energía procedente del corazón no es importante ser consciente de sus pies o del centro de energía encima de

8. Del Verso 43, *Libro del Tao* de Lao Tzu. Alfaguara, 1990.
9. La razón para no utilizar a su pareja en este punto es que ella recibirá telepáticamente la canalización, interrumpiendo su propia práctica del ejercicio. Más tarde, cuando estén canalizando uno para el otro, su pareja debería ser el centro del amor.

su cabeza. Con este método usted emplea principalmente sus sentimientos, y ello le ayudará a experimentarlos en la zona de su corazón. También puede ayudarle decir mentalmente la palabra «amor» o visualizar un color para la energía o sentimientos, o recibir aliento en su corazón. Use cualquier cosa que funcione en su caso.

Paso 2. Cuando se sienta sonriendo interiormente con todo el amor que se derrama en usted, sostenga las manos delante de su cuerpo y experimente en ellas la energía del amor. Recuerde, la sensación de esta energía será tenue. Recuerde también que no debe hacer que la energía vaya hacia sus manos; sólo tiene que permitirse sentirla yendo hacia allí. Si se encuentra encorvándose, párese erguido, deje que su espalda se relaje y ábrase a fin de que la zona del corazón en su cuerpo sea más receptiva. Cuando sienta la energía en sus manos, llevar conciencia a esa sensación (permaneciendo al mismo tiempo conectado con la fuente de la energía) aumentará la fuerza de ésta.

Paso 3. Cuando sienta que la energía procedente del corazón está bien establecida, abra los ojos y vea si puede mantener la conciencia que hace que la energía siga fluyendo. Vea si puede mantener la energía mientras está contemplando objetos en la habitación.

Finalización. Cuando pueda canalizar la energía fácilmente con los ojos abiertos, estará en condiciones de detenerse. Cuando ambos se hayan detenido, compartan sus experiencias. Si usted termina antes que su pareja, no le meta prisa; déle tanto tiempo como necesite.

Canalizar la energía procedente del corazón hacia otra persona

La energía procedente del corazón no emplea ningún tipo de carga de campo. Puesto que esta energía es mucho más sutil que las otras dos, tiende a filtrarse en los desechos y a transformarlos, más que a ejercer presión contra ellos. Por consiguiente, con este método el aura de su pareja ofrecerá menos resistencia a su canalización. Sin embargo, si en algún momento pierde la canalización, retroceda, sacúdase las manos y vuelva a centrarse. Como con los otros métodos, el aura del receptor finalmente llegará a estar plenamente cargada y se producirá una igualación. En ese punto, pucdc pasar a trabajar sobre áreas específicas o dar por terminada la canalización y proceder a desconectar sus auras (véase paso 7, página 54).

La canalización

La persona que está canalizando se para a una distancia aproximada de un metro detrás del receptor, que se halla sentado en una silla.

Paso 1. En primer lugar, usted (el canalizador) necesita relajarse, centrarse a través de recibir aliento y generar la forma mental curativa.

Paso 2. Emplee el método que haya elegido para generar la energía procedente del corazón.

Paso 3. Cuando sienta la energía en sus manos, acérquese y comience la canalización. Ábrase paso gradualmente a través de las partes más densas del aura alrededor de la cabeza del receptor. Recuerde que no debe haber ningún intento de acción; usted sólo tiene que abrirse o entregarse a la energía que ya está allí.

Paso 4. Mientras está canalizando, recuerde visualizar la energía pasando por el cuerpo de su pareja y saliendo por sus manos y pies. Cuando haga esto, «controle la energía» y vea si realmente penetra en su cuerpo. Examine los órganos, las articulaciones y la zona pélvica en busca de bloqueos. Si llega a ser consciente de un bloqueo, dirija más energía hacia él visualizando a su energía procedente del corazón arrastrándolo, fundiéndolo, deslizándose por debajo y deshaciéndolo, o simplemente disolviéndolo. Si se desprende algún desecho del bloqueo, puede hacerlo salir por una de las extremidades. Recuerde retroceder y sacudirse las manos cuando sea necesario.

Paso 5. Efectúe la canalización durante quince minutos y luego coloque sus manos sobre la coronilla de la cabeza de su pareja y continúe canalizando durante un par de minutos más.

Finalización. Cuando haya terminado, retroceda, sacúdase las manos y después procedan a desconectar sus auras (véase paso 7, página 54). Tómense unos minutos para estirarse y luego el receptor será el canalizador. Compartan sus experiencias cuando ambos hayan desempeñado los dos papeles.

6. Colores

Cada color tiene sus propias propiedades curativas. Cuando trabaje con un color determinado, visualice el más claro posible. Los colores oscuros carecen de energía y favorecerán poco la curación. Puede emplear el segundo método de canalización de energía curativa para canalizar cualquier color. Simplemente imagine que la Tierra está colmada de cualquier color que usted necesite y siéntalo penetrar en su cuerpo a través de sus pies. (El primer método de canalización puede utilizarse para la mayor parte de colores, pero le aconsejaría no emplear el rojo, que no funciona bien con los centros de energía implicados en este método. Sin embargo el color anaranjado sería estupendo.)

Las personas que pueden ver auras detectan muchos colores en el aura de toda persona. En general, predominan uno o dos colores, que indican algo sobre la persona. No obstante, el color del aura de la persona no tiene nada que ver con el color más adecuado para que usted canalice hacia ella. Además, mientras que cada color y método de canalización ayudan mejor a cierta clase de situaciones, los tres métodos de canalización que ha aprendido pueden usarse en todos los casos, con cualquier color.

A continuación se incluye una descripción de las propiedades, usos y significados de los colores curativos:

El *rojo* es el color de la energía física. Se utiliza para energizar. Empero, debe tenerse cuidado con este color, pues es fácil energizar en exceso, provocando desasosiego. Puede ser muy bueno para un hígado perezoso. Cuando una persona libera energía de color rojo mientras usted está trabajando en ella, ello suele representar ira, pero esto es muy diferente a canalizar el color rojo como una energía curativa. A veces la gente tiene en su aura al rojo como color predominante. Esto no tiene nada que ver con la ira y sólo connota fuerza y vibración física generales. Tales personas suelen ser individuos cálidos y afectuosos.

El *anaranjado* es el color de la felicidad emocional. Este color sería muy bueno para una persona que necesita más alegría en su vida. Es un buen color para la vesícula y la parte frontal de las caderas. A veces se ve un anaranjado oscuro en un aura donde existe algún tipo de irritación física. Un anaranjado claro representaría felicidad.

El *verde* es el color básico de la curación física. Favorece el crecimiento, la salud, la seguridad y la regeneración. También representa el individualismo y el ego. El color predominante de la mayor parte de las auras es el verde, porque la mayoría de la gente pasa la mayor parte de su tiempo ocupada con cuestiones relacionadas con el tercer chakra, que es básicamente verde (véase la página 111). Cuando en una zona determinada se encuentren concentraciones de verde, ello indica que allí se está produciendo una curación.

El *amarillo* es el color del intelecto. Si el pensamiento de una persona es confuso, el amarillo sería un buen color para ella. Las personas que son intelectuales o que se ganan la vida utilizando sus mentes suelen tener mucho amarillo en sus auras, en especial en la zona de la cabeza. Es un buen color para los riñones y puede emplearse como un tonificador general para el organismo.

El *rosa* es el color del amor emocional incondicional. Combina el blanco del amor espiritual incondicional (procedente de los chakras superiores) con el rojo de la emoción (procedente de los chakras inferiores). El color rosa alimentaría a una persona que necesita mucho amor y protección, o que tiene dificultades para dar amor. Lo canaliza especialmente hacia el segundo chakra (encima del hueso púbico) y el chakra del corazón. Este color no suele utilizarse para la curación física. Un aura predominantemente rosa representa a un individuo recatado, tal vez sencillo, pero afectuoso. También puede representar una gran capacidad para la dedicación.

El *dorado* tiene una cualidad de permanencia que no posee ningún otro color. Por ejemplo, si alguien se ha roto un hueso, proyecte líneas de energía dorada que reconecten los pedazos creando una estructura para la curación, y luego rodee toda la zona con luz verde para la curación física general. El dorado es el color para la reestructuración. También es muy espiritual; como el blanco, representa el amor espiritual incondicional. Las auras de color dorado son raras.

El *azul* es el color de la paz. Si alguien se siente perturbado, inquieto, sobreexcitado o iracundo, el color azul ayudaría a restablecer la calma y la tranquilidad. El mismo principio se aplicará a estados como el de un malestar de estómago. El azul es un color muy tranquilizados y sedante. Puede emplearse para la mayor parte de situaciones como un color curativo general y es especialmente bueno para aquellas que requieran descanso y recuperación. Si los nervios de una persona se hallan demasiado excitados o agotados, sería útil canalizar el color azul (y luego el blanco) hacia su chakra del bazo, que está implicado en el equilibrio nervioso (véase página 57). A veces se encuentra como el color predominante del aura de una persona, indicando a un individuo con inclinaciones espirituales, amante de la paz. Además, el azul claro indicaría un carácter idealista.

El *púrpura* es una mezcla de azul y rojo. En el aura de una persona representa la espiritualidad mezclada con la pasión. A veces representa a la sabiduría, que es el conocimiento espiritual (azul) obtenido a través de la experiencia mundana (rojo). Las personas que tienen mucha ira, que es energía roja «negativa», podrían beneficiarse de este color. En lugar de aquietar la ira como haría el color azul, el púrpura filtraría o sería absorbido por la energía roja negativa (debida al rojo que hay dentro del púrpura), penetrándola y transformándola. El púrpura también podría resultar útil para un individuo que tiene muchísima experiencia mundana que aún no se ha desarrollado en sabiduría.

El *violeta* representa la meditación espiritual. También estimula la conciencia psíquica. Se utiliza más para la curación espiritual o emocional general que para la curación física. El violeta suele encontrarse en cantidades significativas en el aura de una persona sólo cuando ésta ha alcanzado un nivel avanzado en su crecimiento espiritual.

El *blanco* contiene todos los colores, incluyendo los colores curativos, por lo que puede emplearse para cualquier clase de curación. También representa la pureza, protección y amor espiritual incondicional. Si se siente amenazado por una situación y se imagina rodeado por un capullo de luz blanca, ello contribuirá a protegerle. El blanco representa un grado muy elevado de espiritualidad. Las auras predominantemente blancas son muy raras.

Experimente con diferentes colores. Pregunte a su pareja (y a otros con quienes practique) cómo se siente cuando usted canaliza los diversos colores. Si empieza a ver colores en el aura de la gente, recuerde que la claridad del color puede decirle tanto sobre la persona como el color particular que encuentre.

7. La ilusión de recibir la «materia» de otras personas

La cuestión de «recibir la materia de otras personas»[10] es importante y aparecerá una y otra vez en todos los estudios futuros que realice concernientes a la curación. Son muchos los mitos y miedos que rodean a esta cuestión, pero la verdad inmutable es realmente muy simple: *Usted no puede recibir la materia de ningún otro; la única materia que puede tener es la suya.*

Muchas personas creen equivocadamente que si no son cuidadosas cuando liberan las cargas negati-

10. La palabra «materia» es comúnmente utilizada por sanadores, meditadores y buscadores espirituales para describir todas nuestras diversas formas de energía «negativa»; ira, miedo, autocompasión, toxicidad general, creencias y actitudes destructivas o limitadoras, etc. La idea de que todo esto no es más que materia nos recuerda que no es parte de quienes somos realmente y que estas experiencias no son realmente negativas; son simplemente formas diversas de nuestra resistencia a experimentar «la luz». Representan nuestra oscuridad mental/emocional/física/espiritual, la materia general de la condición humana que hemos venido a experimentar o a transformar.

vas procedentes de alguien con quien están trabajando, recibirán esa materia y la absorberán. Muchas de estas personas también temen llegar a recibir el dolor de cabeza, el agotamiento o incluso la enfermedad de otro individuo. Se sienten vulnerables debido al estado de receptividad en que se hallan cuando canalizan (o masajean); y por esto han elaborado métodos para «protegerse».

Por generalizadas que sean estas creencias, no tienen ninguna validez. A continuación se incluye un ejemplo de las experiencias que dan origen a estos mitos: supongamos que yo estoy efectuando una sesión de curación con alguien que se encuentra afligido. Si tengo dentro de mí mucha aflicción reprimida o sin resolver, entonces llego a ser consciente de que la aflicción del receptor puede activar y traer a la superficie mi propia aflicción. Al final de la sesión puedo sentirme triste y pensar que he recibido la aflicción de la otra persona, pero ésta es una percepción errónea; la única aflicción que tengo –o puedo experimentar– es la mía.

Este proceso es muy similar al de ver una película. Si se trata de una película triste, puede hacernos sentir tristes a través de nuestra identificación con los personajes, pero para la mayoría de nosotros, esta tristeza desaparece hacia el momento en que hemos llegado al parking a recoger nuestro coche. Sin embargo, ¿qué pasa con esas pocas personas que terminan sintiéndose tristes el resto de la noche y tal vez incluso a lo largo de los días siguientes? ¿Han recibido esta tristeza de la película?

Debería ser bastante obvio que tienen alguna materia personal relacionada con la tristeza y que la película no ha hecho más que traerla a la superficie. (Y cuanto más impactante sea la película, a más personas será capaz de influir de esta manera.)

Lo que sucede cuando usted observa a una persona liberar tristeza durante una sesión de curación no es muy diferente de lo que ocurre cuando ve a un personaje cinematográfico pasar por alguna experiencia triste, y cuanto más intensa e impactante sea la emoción que el receptor libera, más profundamente puede ser activada esa emoción en usted. Es importante recordar que sea lo que sea lo que usted está experimentando emocionalmente, no es más que su propia respuesta emocional; usted no está recibiendo nada de la otra persona. Aunque una persona determinada siempre puede activar en usted un sentimiento o resistencia particular haciendo que le resulte difícil mantenerse limpio (de sentimientos «negativos»), esta oscuridad es su propia materia activada, pero no causada, por la otra persona. Sea lo que sea aquello a lo que se resiste (o ante lo cual reacciona) en la otra persona no es más que aquello que rechaza y teme experimentar dentro de usted mismo. (Lo contrario también es cierto: cualquier cosa a la que se resiste dentro de usted mismo, la rechazará en la otra persona.) Usted es responsable de su propio estado de existencia; *la única materia que puede tener es la suya.*

Aun cuando nuestras propias emociones sean motivadas por la otra persona, lo que realmente hace que nos atasquemos durante una canalización es nuestra reacción ante esas emociones. Cuando nos resistimos o reaccionamos ante nuestras propias emociones activadas llegamos a estar atrapados en una lucha con nosotros mismos, bloqueando el flujo de energía y quedando atascados.[11]

Por consiguiente, la clave para permanecer limpio durante una canalización es cultivar hacia usted mismo y hacia la otra persona una actitud de *aceptación y no-reacción consciente.* Esto quiere decir que si aparece una emoción (en usted o en la otra persona), no debe repeler el sentimiento, ni apartarlo, ni identificarse con él, ni alimentarlo. Limítese a aceptar el sentimiento y permítale estar allí. Manténgase imparcial y déle algún espacio. Entonces usted estará observando cualquier emoción que aparezca, en lugar de quedar atrapado en ella y combatirla (y, en consecuencia, resultar controlado por ella). Luego la emoción pasa como el mal tiempo, como los pensamientos efímeros, y le deja en un lugar despejado. En general, esto no es más que aprender a *estar* con usted mismo y con los demás, en lugar de *hacer* cosas para resistirse o reaccionar ante lo que sucede.

«Aceptación y no-reacción consciente» es realmente lo mismo que la «forma mental apropiada»

11. También es posible, sin quedar atascados, «imitar» o «reflejar» en forma inconsciente en su propio cuerpo lo que la otra persona está liberando, o incluso albergando. (Hago esto frecuentemente conmigo mismo.) Ello le permite sentir en su propio cuerpo aquello que la otra persona alberga o libera. Imitar no implica activar su propia materia ni recibir la materia de la otra persona. Es poner temporalmente su pie en el zapato de otro para entender lo que éste siente. A menos que se active parte de su propia materia, usted siempre puede sacar su pie del zapato. A veces un canalizador imita inconscientemente. Si usted lo hace, cuando la otra persona llegue a quedar limpia, también usted se encontrará limpio. La imitación es una herramienta maravillosa, y ello no cambia lo fundamental: la única materia que tiene es la suya.

descrita en el capítulo 2. Para aceptar a alguien y permitirle ser como es, también usted necesita permitirse ser como es. De lo contrario, toda vez que se activa algo en usted y se resiste a ello (una forma de negarse a usted mismo), también se opondrá a la persona que está activándole. Para sentir verdaderamente amor incondicional por otro, también necesita sentir amor incondicional por usted mismo. Éste es uno de los aspectos más maravillosos del aprendizaje de curar a otras personas: aprende a curarse a usted mismo. (Al menos, descubre dónde está atascado.)

El proceso de llegar a estar atascado por oponerse a los sentimientos de otro (en realidad, los suyos) no se limita a las situaciones curativas. Sucede continuamente en la vida cotidiana. El amigo deprimido que «me deprime» no es realmente la causa de mi abatimiento. Me deprimo a mí mismo con mi propia resistencia y con los sentimientos activados que había reprimido. Lo que sucede durante una sesión de canalización es sólo una intensificación de lo que ocurre continuamente en la vida cotidiana. Las consecuencias de la resistencia son más evidentes, pero se aplican las mismas reglas.

Hay una extraña ironía que concierne a esta cuestión. Si bien no puede recibir la materia de otra persona, si teme y cree con bastante convicción que puede hacerlo, entonces es posible que recree dentro de usted el estado de la otra persona. Usted tiene ese poder, pues la energía sigue al pensamiento, por lo que tiende a convertirse en aquello a lo que más teme o se resiste. Pero si esto ocurre, no habrá sido la otra persona quien le dio ese estado; usted lo habrá creado por su cuenta a partir de su propia resistencia y de su propio miedo. Insisto: todo lo que usted tiene es su propia materia.

Si su miedo a recibir la materia de otra persona sigue siendo muy fuerte, entonces, o bien debería utilizar sus sesiones de canalización como un modo de contactar con sus miedos y transformarlos, o bien en esta ocasión no debería canalizar para otros; en cambio, dedíquese a trabajar sobre usted mismo.

En la segunda parte aprenderá a despejar su propia aura después de efectuar un equilibrio en profundidad. Pero recuerde, esto no es limpiarse de la materia que ha recibido de la otra persona; es limpiarse de su propia materia, que ha sido activada y traída a la superficie por su resistencia durante la canalización.

8. Otras cuestiones

Trabajar sobre usted mismo. Para trabajar sobre usted mismo puede utilizar cualquiera de los métodos para canalización de energía curativa. Como probablemente ya habrá observado, usted se siente mejor después de canalizar para otra persona. La canalización de energía curativa es autocuración y purifica su propia aura. Si quiere trabajar sobre problemas específicos que aparecen en usted mismo, establezca una canalización y luego visualice a la energía yendo hacia la zona problemática, abriéndola, disolviendo el bloqueo y eliminándolo a través de una de sus extremidades. O visualice cualquier otra imagen que funcione en su caso. Si sostener las manos delante de usted y sentir la energía curativa en ellas le ayuda a mantener el flujo de energía, también puede hacerlo. Incluso puede establecer la energía curativa en sus manos y luego canalizar con ellas hacia la zona problemática.

Expectativas. No debería desanimarse si al principio no experimenta todo lo que se describe en el libro. Los bebés son muy conscientes de la energía etérea, pero puesto que la sociedad occidental presta más atención a la energía sexual y emocional, hemos olvidado el modo de reconocer lo que sabíamos en un tiempo. Por tanto, dése tiempo. Las expectativas terminarán por dejarlo atrapado en los intentos de acción, lo cual bloqueará el flujo de energía y conducirá a la frustración. Toda vez que suceda esto, *deténgase*, retroceda, restablezca la forma mental adecuada y luego retome la canalización. Al final, esto reducirá la cantidad de tiempo que se necesita para la sesión curativa y la hará más fácil y placentera.

Contacto físico durante la canalización. El problema con el contacto físico mientras se canaliza para otra persona es que si usted está trabajando con una carga de campo, la energía puede transferirse con demasiada rapidez, desorganizando su campo de energía y su aura. Como se explicó antes, es más probable que esto suceda durante la aplicación del primer método de canalización (energía del sol). En general, existen dos soluciones posibles. La primera es la que ya he recomendado: despejar el aura y la zona problemática primero sin tocarla, y luego tocar el cuerpo directamente. Otro enfoque es tocar a la persona *antes* de comenzar a canalizar: en este punto no hay ninguna carga de campo que genere una diferencia significativa de energía entre su aura y la del receptor. Ahora, cuando comience a canalizar, las auras de ambos aumentarán en energía a una velocidad casi igual, por lo que no experimentará la interrupción de su carga de campo. Muchas personas prefieren emplear este método para la canalización mediante la imposición de manos, en tanto que a otras les resulta más difícil establecer primero la canalización mientras están tocando a la otra persona. Elija el método que funcione mejor en su caso.

Tocar a la otra persona cuando se canaliza es más importante cuando se abordan contracciones musculares o diversos tipos de tejidos lesionados, pues en esas situaciones la tensión está bloqueada dentro o debajo del tejido que se ha endurecido. Tocar la zona tensa o endurecida mientras se canaliza ayuda a impedir que la energía curativa simplemente rebote contra la contracción muscular.

Controlar la energía. Si todavía no puede hacer esto, sea paciente; con el tiempo, estará en condiciones de hacerlo. Si en realidad no puede ver a la energía yendo hacia el receptor, sigue siendo importante visualizarla haciéndolo y en todo caso es importante verla (realmente o con la imaginación) penetrando en su cuerpo, o cuando se trata de problemas específicos, en el núcleo de la zona problemática. La energía sigue al pensamiento. Se desplazará hacia el lugar en que usted la piense.

Visualización. Un modo simple de llevar la energía curativa hacia el núcleo de una zona problemática determinada es ver o visualizar un lugar sano debajo o en el interior del problema, aun cuando sea muy diminuto y se halle bajo muchas capas de tensión o enfermedad. Visualice ese lugar sano recibiendo la energía curativa y creciendo hasta llenar toda la zona que tenía el problema. También puede indicar al receptor que cada día antes de acostarse pase unos minutos cada día visualizando el problema del modo en que quiere que se resuelva, en su estado sano. Puesto que la energía sigue al pensamiento, la visualización de salud ayuda a generarla.

Ejercicio 3: puntos de dolor

Para este ejercicio, simplemente comience a canalizar hacia un punto dolorido en el cuerpo de su pareja. Primero trate de establecer la canalización y de despejar el aura en la zona que rodea al punto dolorido antes de tocarlo. Una vez que lo toque, manténgase canalizando hasta que lo sienta relajado. Luego ponga sus manos directamente sobre otro punto dolorido y, mientras está tocando el cuerpo, establezca la canalización. Cuando toque el punto dolorido, presione levemente, lo suficiente para sentir la tensión. Sea consciente de la energía curativa en las puntas de los dedos. Mientras canaliza, imagine un lugar sano dentro o debajo de la tensión y visualice ese punto despejado recibiendo la energía curativa y creciendo, esparciendo la tensión y disolviéndola. Siga canalizando hasta que el punto dolorido se relaje. Utilice el método de canalización que prefiera. Siéntase libre de experimentar con colores.

Ejercicio 4: canalización a distancia

Por sorprendente que pueda parecer, es posible canalizar energía curativa hacia personas que lo requieran aun cuando no estén presentes. La otra persona podría estar en China –o incluso en la Luna– y su energía curativa igualmente podría llegar hasta ella.

Existen varios modos de canalización a distancia. Aquí describiré dos métodos posibles. Si en su caso funciona cualquier otro método, úselo.

El mejor modo para practicar este ejercicio es manteniendo al receptor y al canalizador en cuartos separados. El canalizador cierra los ojos, pero es preferible que el receptor los mantenga abiertos. (Si los ojos del receptor estuviesen cerrados, podría haber una tendencia a extender el brazo hacia el canalizador con el aura o la conciencia, pero el canalizador tendría que encontrar al receptor sin ninguna ayuda.) Tanto el canalizador como el receptor pueden probar uno de los métodos de canalización a distancia que se explican a continuación. Esperen hasta que ambos hayan tenido oportunidad de canalizar antes de compartir sus experiencias. Luego, si lo desean, prueben el otro método.

Para el primer método, comience por visualizar a su pareja en su mente. Mientras hace esto, trate de sentir su esencia o presencia. Trate de verla y de sentirla lo bastante vívidamente como para tener la sensación de que realmente se halla en presencia del receptor. Puede ayudar pronunciar mentalmente su nombre. En el mismo nivel, esto tiende a atraer la atención del receptor y lo vuelve hacia usted. Luego pase al tercer método de canalización de energía curativa (la que procede del corazón) y sienta que su amor incondicional sale hacia su pareja y la toca (tal como hizo en la tercera parte del ejercicio 2, en la página 36). Si existe una zona problemática determinada, procure sentir que su amor toca al receptor en ese lugar. Recuerde que la energía sigue al pensamiento.

Para el segundo método, imagine que algo dentro de usted se proyecta a través de la coronilla de su cabeza y encuentra a su pareja, o un tubo de luz yendo desde la coronilla de su cabeza hasta la coronilla de su pareja. (Con este método se utilizará el chakra corona, que se asienta en la parte superior de la cabeza.) Una vez que ha sentido el contacto, comprenda que, sea cual sea el método que emplee para tocar a su pareja, puede utilizarlo para tocarla con energía curativa. Manteniendo la sensación de conexión con su pareja, pase al tercer método de canalización y extienda el brazo con su energía del corazón, directamente a través de la coronilla de su cabeza, tocando a su pareja con él. Si hay una zona problemática determinada, sienta que su energía toca al receptor en ese lugar.

GENERAR UN EQUILIBRIO DEL AURA EN PROFUNDIDAD

9. Modelos del cuerpo humano

La acupuntura introdujo a Occidente en un nuevo concepto de medicina. Sin embargo, la ciencia occidental, con todos sus avances, no puede explicar por qué funciona la acupuntura. Los acupuntores tratan de explicar a los científicos que trabajan sobre el «sistema de energía» del cuerpo a través de los puntos de acceso a los «meridianos» del cuerpo: líneas invisibles de energía que recorren todo el cuerpo, pero los científicos occidentales siguen buscando una explicación que encaje con su propio modelo de funcionamiento del cuerpo. No están en condiciones de imaginar que el mundo puede explicarse efectivamente mediante un modelo que no sea el suyo. Estos científicos son víctimas de una concepción errónea básica: creen que su propio modelo para describir la realidad es la realidad misma. (Véase apéndice B: «Una teoría alternativa de la enfermedad».)

El cuerpo humano puede interpretarse a través de muchos modelos diferentes y los tratamientos basados en algunos de ellos brindan buenos resultados reproducibles. Aunque a veces los científicos aprenden a traducir algunos de los hallazgos de otros modelos, como la acupuntura, a su propio modelo, el resultado es un poco como traducir del chino al inglés: algo esencial se pierde en el proceso. Por supuesto, también se gana algo y el modelo occidental se expande como resultado de la reciente traducción. A menudo lo que se pierde en la traducción es el contexto que brinda el entendimiento preciso que se hace necesario para poder utilizar con éxito la nueva información.[12]

Si verdaderamente queremos aprender lo que estos otros modelos tienen para ofrecernos, necesitamos hacerlo desde sus propios puntos de vista. Cada uno de los sistemas que describiré aquí presenta un modelo del cuerpo humano. Cada uno de ellos es una ciencia compleja en sí mismo y brinda información que nos resultará valiosa cuando trabajemos con la canalización de la energía curativa.

12. Por ejemplo, puesto que la medicina occidental se orienta hacia la supresión de los síntomas de enfermedad, traduciría la acupuntura o el arte curativo japonés del Jin Shin Jyutsu en otros medios dirigidos hacia ese fin. Empero, estas artes curativas no se orientan hacia la supresión de los síntomas en absoluto; su propósito es generar armonía entre el ser humano (a través del equilibrio del cuerpo), en la creencia de que un cuerpo en armonía se cura a sí mismo.

Cinco modelos de éxito

Medicina occidental

La medicina occidental trata el cuerpo casi exclusivamente en término físicos. Tiene poco en cuenta a la mente o a cualquier otra cosa que no pueda medir directamente. Su mapa del cuerpo es un mapa físico que destaca donde se hallan los diversos órganos, músculos, nervios y estructuras celulares, y describe cómo funcionan químicamente en conjunto. La fuerza de la medicina occidental reside en su capacidad para reparar estas partes actuando sobre ellas. Su mayor debilidad es su percepción de los síntomas de enfermedad como equivalentes a la enfermedad misma. Por consiguiente, utiliza medicamentos para eliminar los síntomas, dejando la causa real de la enfermedad enraizada en el cuerpo, donde continuará creciendo (hacia adentro ahora, en lugar de hacia fuera) y probablemente más adelante se manifestará como un problema mayor. Además, el efecto debilitante de los medicamentos sobre el cuerpo como un todo (virtualmente todos los medicamentos tienen efectos secundarios) hace que el problema real se agrave incluso con más rapidez.[13] Tratar los síntomas como a la enfermedad también obliga a la medicina occidental a considerar al cuerpo de manera compartimentada. En el caso de un problema en los ojos, sólo se examinan los ojos, aun

13. Un ejemplo de esto fue un paciente mío que había sufrido de asma durante doce años. Estuvo recibiendo medicación para eliminar el asma, y después de doce años la enfermedad desapareció, pero tan pronto como desapareció el asma, el hombre desarrolló diabetes.

cuando ese problema puede ser sólo un síntoma de trastornos en otro lugar del cuerpo. El problema original continuará empeorando y producirá otros síntomas si permanece sin ser advertido y sin ser tratado. Además, puesto que la medicina occidental se concentra en la supresión de síntomas, no ha desarrollado un conocimiento lo bastante profundo del cuerpo para curarlo realmente. Los médicos pueden aconsejar a los pacientes descanso, darles una píldora o extirparle parte de su cuerpo, pero poseen poco conocimiento acerca de cómo fortalecer y equilibrar el organismo. Con todo, a pesar de sus limitaciones, el modelo médico occidental tiene mucho éxito en lo que hace mejor: actuar sobre las partes enfermas del cuerpo. El campo de ingeniería genética abrirá nuevas áreas en las cuales la medicina occidental resultará muy efectiva.

Psicoterapia

La psicoterapia considera al cuerpo en términos de su conexión con la mente. De acuerdo con este modelo, muchas enfermedades son causadas por problemas o actitudes emocionales que se expresan simbólicamente como enfermedades u otros trastornos en el cuerpo físico. Un ejemplo de esta conexión mente-cuerpo es un paciente que tenía cáncer en la espalda, que se generó a raíz de la aflicción que le produjo encontrar a su mejor amigo en la cama con su mujer. Aunque el hombre no era consciente del vínculo entre su cáncer y su aflicción, afirmaba una y otra vez: «Me siento como si mi amigo me hubiese apuñalado por la espalda».

Acupuntura

El modelo de la acupuntura presenta al cuerpo como gobernado por un *sistema de energía* no-físico (en realidad, menos físico). Este sistema de energía funciona como un sistema nervioso de nivel más elevado que controla y alimenta tanto al sistema nervioso físico como a todas las funciones y actividades físicas del cuerpo. El sistema energético del cuerpo también es el vínculo entre mente y cuerpo, entre los fenómenos energéticos (no-físicos) de pensamiento y emoción, y el cuerpo físico.

La acupuntura trata el cuerpo físico trabajando sobre el sistema energético del cuerpo. Según este modelo, los problemas físicos son síntomas externos de bloqueos que existían en el *sistema energético del cuero* antes de su aparición física en partes específicas de éste. El conocimiento de este sistema de energía capacita a un acupuntor para descubrir y despejar el bloqueo de energía antes de que se manifieste como un problema físico.

En acupuntura, el sistema energético del cuerpo se compone de meridianos, que son líneas de energía que recorren todo el cuerpo. Existen aparatos que pueden localizar y medir los puntos de acupuntura, es decir, los puntos energizados a lo largo de las líneas de los meridianos. Cada órgano principal está regido por un meridiano; en total, hay catorce meridianos importantes (y cincuenta y siete secundarios). Las enfermedades se desarrollan cuando estas líneas de energía llegan a estar bloqueadas o desequilibradas. Las agujas que se introducen en los puntos de acupuntura pueden reequilibrar a los meridianos y, de este modo, a todo el sistema energético del cuerpo. Incluso es posible anestesiar partes del cuerpo, haciendo posibles las intervenciones quirúrgicas sin el uso de drogas. Lamentablemente, muchos acupuntores contemporáneos utilizan un modelo occidental de acupuntura («acupuntura de manual») y no tienen la eficacia de aquellos que han recibido una preparación tradicional. Una de las razones de esta occidentalización es que se requieren muchos años para desarrollar el método tradicional de entendimiento y armonización con el cuerpo.

Jin Shin Jyutsu

Éste es un arte curativo japonés poco conocido pero muy eficaz, que, como la acupuntura, trabaja ayudando a que la energía fluya a través del cuerpo. (Yo utilizo mucho el Jin Shin Jyutsu en mi propia práctica curativa.) Aquí, la enfermedad es un síntoma de bloqueos mentales, emocionales o físicos creados por el estrés en los senderos energéticos del sistema de energía del cuerpo. El modelo o mapa de energía del cuerpo es aproximadamente similar, pero mucho más complejo que el mapa de meridianos de la acupuntura. Sin embargo, el Jin Shin es muy simple de practicar (sólo hay 26 puntos, llamados «cierres energéticos de seguridad», sobre ambos lados del cuerpo, en comparación con los 309 de la acupuntura tradicional), y está diseñado para que la gente lo emplee con facilidad sobre ella misma.[14]

14. Es difícil encontrar libros sobre Jin Shin Jyutsu. Mary Burmeister, la reconocida experta mundial en este arte, ha publicado varios libros sencillos de autoayuda para personas que no han tenido

El Jin Shin Jyutsu utiliza una energía universal que circula a través del cuerpo, haciendo uso de aquello que fluye a través de las manos del profesional para recargar la energía del receptor en las áreas bloqueadas. La energía curativa puede concentrarse en partes diferentes del sistema de energía (para ayudar a las funciones defectuosas del cuerpo y a las emociones relacionadas con ellas) colocando las manos sobre los veintiséis puntos en varias combinaciones. Entonces, la energía recargada es capaz de liberar los bloqueos creados por el estrés en los senderos energéticos, restableciendo la armonía en el sistema. El cuerpo, la mente, las emociones y el espíritu vuelven a estar en equilibrio (en consecuencia con el universo). El Jin Shin Jyutsu puede practicarse casi en cualquier momento, incluso mientras se mira la televisión. Funciona directamente a través de la ropa, y hasta funcionará a través de un vendaje de yeso. El modelo del Jin Shin Jyutsu también traza las relaciones órgano principal-emoción; por ejemplo, el miedo afecta a la vesícula y a los riñones, y la debilidad en estos órganos hace a una persona más susceptible al miedo. (La acupuntura tradicional también hace uso de estas conexiones cuepro-emoción, y la medicina occidental ahora está descubriendo que ciertas enfermedades tienen «perfiles emocionales».) En el siguiente capítulo resumiré esas conexiones.

oportunidad de asistir a sus talleres de trabajo, más exhaustivos. Si desea información sobre el modo de obtener estos libros, escriba a Jin Shin Jyutsu, Inc. 8719 E. San Alberto, Scottsdale, AZ 85258 Estados Unidos, o consulte la página web: http://www.jinshinjyutsu.com/.

El sistema chakra yóguico

Chakra es una palabra del sánscrito que quiere decir «rueda». Los chakras son centros de energía existentes en el sistema energético del cuerpo que a los yoguis indios que los descubrieron les parecieron ruedas incandescentes (de uno a varios centímetros de diámetro, con rayos). Cada chakra tiene sus propias funciones, como las tiene cada órgano; en cierto sentido, son «órganos de energía». Así como los órganos digestivos forman un aparato digestivo, los chakras trabajan juntos y configuran un sistema de chakras. Tradicionalmente existen siete chakras principales y muchos secundarios (véase la ilustración de la página 110). Los chakras principales se hallan en una línea vertical entre la espina dorsal y la parte frontal del cuerpo, e irradian hacia la parte trasera y delantera del cuerpo. Aunque no he encontrado ninguna información que vincule por completo el sistema de chakras, el sistema de meridianos de la acupuntura y el mapa energético del Jin Shin Jyutsu, cada uno de ellos representa a los distintos aspectos del sistema de energía de un cuerpo trabajando juntos. No es ninguna coincidencia que las líneas energéticas más importantes, tanto en acupuntura como en Jin Shin Jyutsu, residan en la espina dorsal y en el centro de la parte frontal del cuerpo, superpuestos a los chakras principales.

Para los yoguis, la parte más importante del sistema de los chakras es la «energía kundalini» que fluye de la espina dorsal. La energía kundalini alimenta a los chakras y es alimentado por ellos. También alimenta a los nervios. La energía kundalini suele ser llamada la «serpiente dormida», porque en la gente corriente sus aspectos más poderosos se hallan en un estado inactivo, yaciendo dormidos en la base de la espina dorsal. A través de la meditación y de otras técnicas energéticas, esta energía dormida puede despertarse y comenzar a ascender por la espina dorsal, cargando intensamente los chakras, ampliando la conciencia espiritual y otorgando poderes psíquicos, hasta que sale por la coronilla de la cabeza a través del chakra corona. La kundalini tiene tres aspectos. Uno asciende directamente por la espina dorsal, y los otros dos se enroscan en ella como serpientes. Éste es el origen del caduceo, el símbolo que muestra a dos serpientes enroscadas en un bastón, que es el emblema tradicional de un médico o sanador. (En la época clásica el caduceo era un símbolo utilizado por personas sagradas o santas, muchas de las cuales trabajaban activamente con esta energía.) La kundalini también es conocida como el «fuego de la serpiente», debido al carácter semejante al fuego de su energía cuando despierta profundamente.

Si bien la utilización de la energía curativa activa un poco la kundalini (en usted mismo así como en la persona con quien está trabajando), para el equilibrio del aura en profundidad no se trabajará directamente con nuestro «fuego» kundalini. Los chakras serán los centros principales de nuestra atención. Puesto que los chakras son centros de energía, son zonas naturales a emplear para la transferencia de energía curativa.

Homeopatía

La homeopatía es una rama de la medicina que se halla experimentado un resurgimiento en Estados Unidos, donde tiempo atrás fue muy popular además de gozar de gran difusión en Europa, en cuyos países la medicina natural se utiliza más ampliamente. (En Inglaterra, la familia real ha recibido tratamiento homeopático desde la década de 1930.) La homeopatía declinó en Estados Unidos a comienzos de este siglo, fundamentalmente por razones políticas. En la actualidad, la mayor parte de la homeopatía en Estados Unidos es practicada por médicos naturópatas. Con los costes médicos aumentando en espiral, muchos legos también están aprendiendo a utilizar la homeopatía para primeros auxilios y dolencias, y los grupos de estudios homeopáticos crecen en todo el país.

El principio básico de la homeopatía es que lo semejante cura a lo semejante. Un ejemplo sería el de curar un brote de urticaria con un remedio elaborado a base de hiedra venenosa. Este remedio también podría utilizarse para curar otros estados similares de la piel. Sin embargo, a diferencia de las vacunas que inyectan en el cuerpo gérmenes reales muertos o debilitados, un remedio homeopático elaborado a base de hiedra venenosa, en su forma final, no contendrá nada de hidra venenosa real. En la elaboración del remedio, la solución o el polvo de hiedra venenosa es energizado y diluido repetidas veces. Hacia el momento en que ha terminado la elaboración, está tan diluido que ya no queda ninguna molécula de hiedra venenosa, pero la esencia sutil de la hiedra venenosa permanece. En cierto sentido, el *aura* de la planta de hiedra venenosa está impresa en el remedio, y esta impresión energética de la hiedra venenosa trabaja sobre el sistema de energía del cuerpo que la recibe.

Existen varias explicaciones posibles acerca de cómo trabajan los remedios homeopáticos. Ésta es una: puesto que el remedio contiene «hiedra venenosa sutil», estimulará la respuesta inmunológica del cuerpo a la hiedra venenosa en un nivel sutil, pero profundo. Esto ayuda al cuerpo a superar los síntomas de la hiedra venenosa real en un nivel físico. (A veces esto en realidad empeorará los síntomas durante un tiempo muy breve, lo cual es un signo positivo de que el remedio está funcionando.)

Estos remedios son muy efectivos. Sin medicamentos, pueden curar estados enfermizos, a veces con una rapidez milagrosa, y en el proceso fortalecen al cuerpo sin provocar efectos secundarios.

El principio homeopático de utilizar lo semejante para curar lo semejante puede emplearse en la canalización de energía cuando, de manera intuitiva, el canalizador siente que el único modo de liberar una emoción particular es intensificándola y obligándola a emerger. Por ejemplo, el rojo podría canalizarse en una zona que alberga ira como un modo de obligar a la ira a emerger y liberarse. Cuando practique la canalización, este enfoque debería ser un último recurso, pero es una opción que ayudará en ciertas circunstancias.

10. Un cuerpo ecléctico

Cuando realicemos el equilibrio en profundidad, haremos uso de la información y de la conciencia obtenida a partir de todos los sistemas de curación descritos en el capítulo 9. Estaremos trabajando con un «cuerpo ecléctico», que abarca desde el bazo y el hígado hasta los chakras, el flujo de energía y las conexiones mente-cuerpo.

El sistema de chakras

El sistema de chakras es uno de los principales componentes del cuerpo ecléctico. Gran parte del equilibrio en profundidad implica trabajar con el sistema de chakras. La ilustración que aparece en la página siguiente muestra los chakras más importantes. Tradicionalmente los chakras principales eran aquellos numerados de uno a siete:

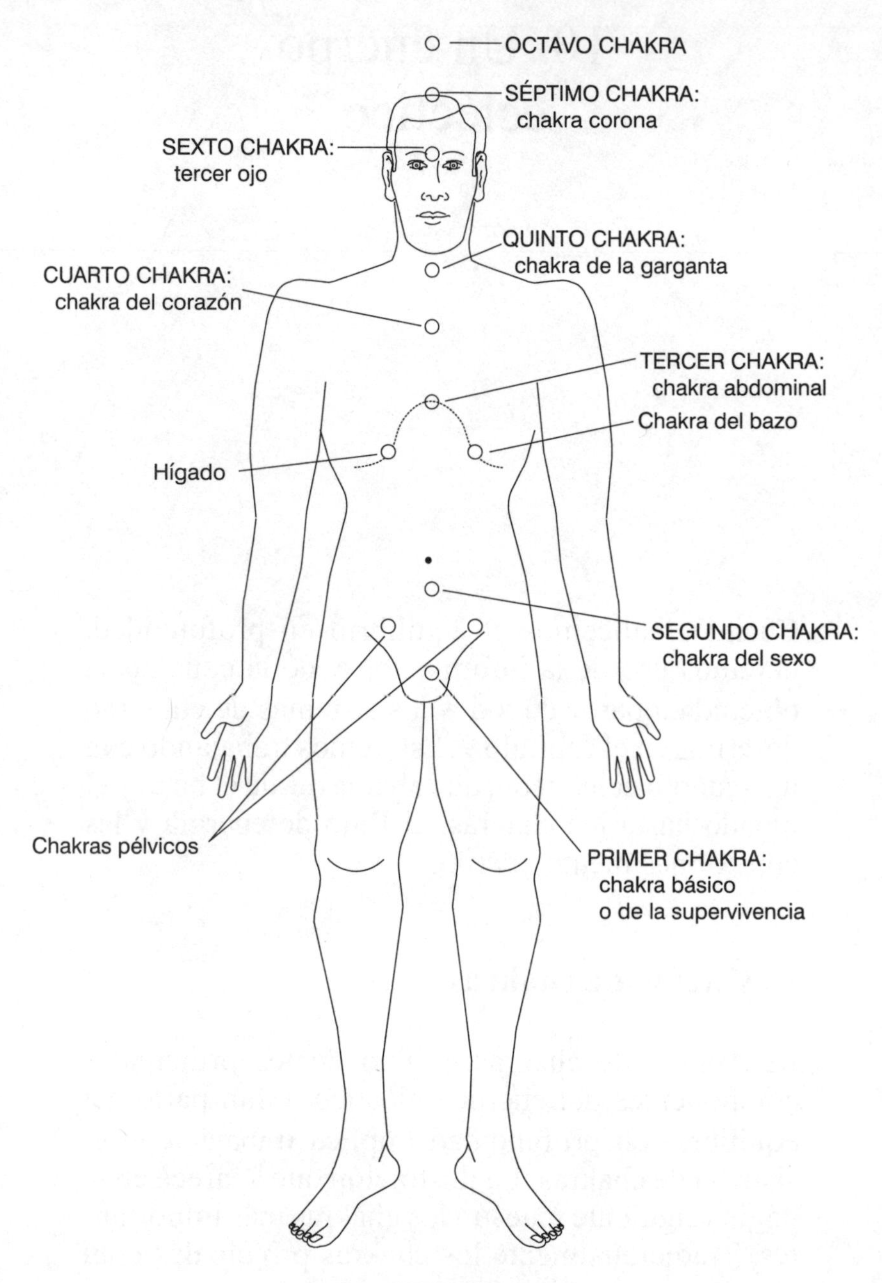
OCTAVO CHAKRA
SÉPTIMO CHAKRA:
chakra corona
SEXTO CHAKRA:
tercer ojo
QUINTO CHAKRA:
chakra de la garganta
CUARTO CHAKRA:
chakra del corazón
TERCER CHAKRA:
chakra abdominal
Chakra del bazo
Hígado
SEGUNDO CHAKRA:
chakra del sexo
Chakras pélvicos
PRIMER CHAKRA:
chakra básico
o de la supervivencia

LOS CHAKRAS

Primer chakra. Éste es el chakra básico o del origen, también llamado chakra de la supervivencia. Se localiza en la base de la médula espinal. Puesto que su función primordial es asegurar la supervivencia, aquí aparecen los miedos relacionados con ella. Este chakra afecta a las suprarrenales, a los riñones y a la vesícula, que también son debilitados por el miedo. Si se siente seguro y a salvo, este chakra estará despejado. Colores predominantes: rojos.

Segundo chakra. Aunque éste es llamado el chakra del sexo, está activamente implicado en todas las formas de intimidad y emociones interpersonales, y tiene una gran incidencia en la sensación de bienestar emocional. El amor emocional tiene sus raíces aquí. Se localiza en la zona que se halla encima del hueso púbico. Si una persona se siente excitada sexualmente, entonces muchísima energía se desplaza hacia este chakra y se irradia a partir de él. También se relaciona con el aparato reproductor. Si existen bloqueos aquí, éstos pueden terminar afectando a los órganos sexuales y a la zona de la cadera en general. Colores predominantes: anaranjados y rojos.

Tercer chakra. Éste es el chakra abdominal. Se localiza en la zona del plexo solar. Este chakra influye en el intelecto, así como en la autoprotección, la voluntad personal, y el poder y el control físico. Esto se halla asociado a todas las formas de competencia y, en consecuencia, también lo está con la frustración y la ira. Si usted es competitivo o autoprotector, o se siente airado o frustrado, tendrá una gran cantidad de tensión en esa zona. Esta tensión puede terminar apareciendo en el estómago, el hígado, la vesícula biliar o el bazo, que trabajan en estrecha vinculación con este chakra. Colores predominantes: verdes y amarillos.

Cuarto chakra. Éste es el chakra del corazón. Se localiza cerca del corazón, en el centro del pecho. Es la morada del amor espiritual incondicional. (El amor *emocional* incondicional es la energía emocional del segundo chakra que surge y resuena con el amor espiritual incondicional del cuarto chakra.) Cuando este chakra se abre, su energía surge y resuena con los chakras más elevados. Cuando está bloqueado, se encontrarán aquí la autoalienación y el odio a sí mismo procedentes de un profundo trauma emocional. Estas emociones afectan adversamente al sistema inmunológico. Por ello, la apertura del chakra del corazón fortalece al sistema inmunológico, tanto mediante la liberación de estas emociones, como por su efecto benéfico sobre el timo, que se localiza cerca de él. Este chakra es el primero en abordar los aspectos espirituales de nuestro Yo; los tres primeros chakras, en alguna forma, abordan la supervivencia física. La mayoría de las personas mantienen la mayor parte de su conciencia en sus tres primeros chakras. El chakra del corazón representa el nivel de conciencia en el cual la raza humana actualmente está tratando de evolucionar. Colores predominantes: dorado, blanco, rosado y color frambuesa.

Quinto chakra. Éste es el chakra de la garganta. Se localiza en la base de la garganta. Controla la creatividad, la comunicación y la clariaudiencia (audición psíquica), y puede significar pureza. Las personas que bloquean su creatividad o comunicación estarán bloqueadas aquí. El chakra de la garganta afecta a la tiroides y, por consiguiente, junto con las suprarrenales y el hígado, es vital para la producción y el metabolismo de la energía. Colores predominantes, blanco, plateado, azules.

Sexto chakra. Éste es el tercer ojo. Se localiza entre las cejas y afecta a la pituitaria y a las glándulas pineales. Este chakra controla la clarividencia y la percepción psíquica. Se lo considera el medio de acceso a la eternidad. Colores predominantes: azules, púrpuras, índigos, blanco.

Séptimo chakra. Éste es el chakra corona. Se localiza en la parte superior y central de la cabeza. (Cuando está plenamente abierto cubre completamente la parte superior de la cabeza, como una corona.) En general, se lo considera el chakra más elevado. Conecta a la persona con Dios y con todo lo que es. También se utiliza para la curación telepática. El resplandor de este chakra formó el halo que se dice que era visible en torno a la cabeza de Jesús. Es aquí donde el alma entra al cuerpo. Colores predominantes: blanco, violeta o un efecto de arco iris.

Octavo chakra. No existe ningún nombre común para este chakra. Muchos sistemas no lo incluyen porque no se localiza en el cuerpo, aunque se encuentra en el aura. Se halla de cincuenta a sesenta centímetros por encima de la cabeza. Trabaja con el tercer ojo y otros chakras más elevados para conectar al individuo con su Yo superior, y es considerado el punto de intersección entre el aura del cuerpo y la energía del alma. Puesto que a través del octavo chakra fluye una gran cantidad de energía, es una buena fuente para la energía curativa. También gobierna el conocimiento intuitivo. Cuando usted sabe que algo va a suceder pero no sabe cómo lo sabe, esa información o conciencia del alma procede de su octavo chakra. (no hay ningún color específico para este chakra.)

Chakra del bazo. El chakra del bazo se localiza en la base de la caja torácica, sobre el lado izquierdo. (Hay algunos sistemas que omiten el sexto chakra y emplean el bazo como el segundo chakra por temor a que el trabajo consciente con el sexto chakra estimule excesivamente y distraiga al yogui, quien debe concentrar su atención en cuestiones espirituales.) El chakra del bazo absorbe energía procedente del Sol y alimenta con ella al aura, influyendo en la vitalidad y en el equilibrio del sistema nervioso. Interactúa con las suprarrenales, el hígado y el tercer chakra. Las personas que sufren de alergias o nerviosismo en general necesitan ayuda en su chakra del bazo. El bazo fortalece al sistema inmunológico. Color predominante: blanco.

Hígado. El hígado no suele ser considerado un chakra, pero trabajaremos con él como si lo fuese, porque es habitual que haya bloqueos de energía allí; y el hígado en estrecha asociación con el bazo y se vincula con el tercer chakra. Se localiza en la base de la caja torácica sobre el lado derecho. El hígado controla los ojos y la química corporal, de modo que necesita ayuda cuando una persona tiene ojos débiles o sufre de alergias, hipoglucemia o agotamiento. En el nivel emocional, el hígado acumula frustración e ira. (Cuando la ira es profunda y amarga, suele albergarse en la vesícula biliar.) El rojo es un buen color para un hígado perezoso o para traer a la superficie la ira acumulada en el hígado. El púrpura es más efecto para transformar la ira.

Chakras pélvicos. Aunque los chakras pélvicos tradicionalmente no se consideran parte de los chakras principales, son sumamente importantes, y yo creo que afectan en gran medida al trabajo del sistema de chakras como un todo. Tienen una gran participación en nuestra conexión con la Tierra, por lo que si están bloqueados, la cabeza (junto con el resto de la parte superior del cuerpo) queda desconectada de las piernas y de los pies. Entonces la energía existente en la parte superior del cuerpo no puede descender y la de la parte inferior no puede ascender. Cuando estos chakras pélvicos se hallan bloqueados, toda la pelvis lo estará también, lo cual también aislará a los dos primeros chakras. Lo contrario también es cierto: los bloqueos en los dos primeros chakras obstruirán a los chakras pélvicos. Por consiguiente, no resulta sorprendente que muchas de las mismas emociones que bloquean y quedan almacenadas en los dos primeros chakras también se interrumpirán y quedarán almacenadas en los chakras pélvicos. Esto incluye el miedo, la programación sexual y las emociones que tienen que ver con la intimidad. Hasta los zapatos que llevamos puestos, debido a su efecto sobre nuestra pelvis, tienden a causar bloqueos en esos chakras. En Jin Shin Jyutsu los puntos que corresponden a esas zonas del cuerpo se llaman puntos «de la alegría y la risa». Cuando nuestra pelvis está bloqueada, la alegría y la risa auténticas se vuelven imposibles. El anaranjado es un buen color para abrir estos chakras. Una de las cosas más importantes a recordar sobre los chakras es que si bien cada uno de ellos tiene sus funciones específicas, actúan en forma conjunta, en gran medida como lo hacen el estómago y los intestinos, y que un bloque en cualquier chakra afectará a todo el sistema. (Para más información sobre los chakras, se recomienda leer el apéndice C.)

Cuando efectuemos el equilibrio del aura, también utilizaremos algunos de los chakras secundarios. Cada articulación puede ser considerada un chakra secundario, y para el equilibrio deberíamos emplear los hombros, los codos y las rodillas, así como los chakras que hay en las manos y en los pies.

Colores en los chakras

Históricamente, ha habido opiniones muy opuestas acerca de qué colores son predominantes en cada chakra particular. Mi propia interpretación es que los colores en los chakras pueden variar. En general, un chakra tiene una mezcla de colores, y en diferentes momentos pueden predominar colores diferentes. Puesto que no suelo interesarme por ver los colores en los chakras de otras personas (tiendo a buscar *información*: imágenes, bloqueos, etc.), no puedo decir cuánto o con qué frecuencia los chakras cambian de color, pero durante la meditación soy consciente de los colores que predominan en mis propios chakras; y puesto que mi experiencia parece corresponder al consenso general, las enumeré en las descripciones de los chakras. Utilicé esta lista como una referencia general, no como una regla estricta. Por ejemplo, si bien vacilaría en canalizar el rojo en uno de los chakras principales (en general, representa una vibración menor), si mi intuición me dijese con insistencia que lo haga, lo haría. Al mismo tiempo, aunque el verde no se encuentra a menudo en los chakras principales, es un color lo bastante neutro como para usarlo en cualquier tipo de curación, por lo que puede efectuar un equilibrio en profundidad completo con la energía terrenal de color verde.

En mi esquema de colores todos los chakras superiores pueden tener al blanco como color predominante; todos trabajan con el Yo superior.

Las emociones y lo órganos

En Occidente sólo estamos comenzando a descubrir las conexiones entre las diversas emociones y los órganos del cuerpo. Los médicos han desarrollado un «perfil emocional» de las personas que son susceptibles a ataques cardíacos y de aquellas que tienen más probabilidades de contraer cáncer. Aunque es un conocimiento elemental que los animales orinan cuando tienen miedo, el *establishment* médico aún no ha documentado que las personas que viven en un miedo constante, guardando en su cuerpo una gran cantidad de ansiedad inconsciente, son susceptibles a enfermedades de origen renal como la artritis. En Oriente, la conciencia de las relaciones órgano-emoción desde hace mucho tiempo forman parte de la práctica médica. La tabla describe las relaciones.

Riñones y vesícula: afectados por el miedo.

Hígado y vesícula biliar: afectados por la ira y la frustración emocional. El hígado en particular es afectado por casi todo tipo de dolor o frustración emocional profundo, mientras que la vesícula biliar es particularmente afectada por el rencor. Ambos controlan y son afectados por los ojos.

Pulmones e intestino grueso: afectados por la aflicción. (El cáncer está asociado con la aflicción y la autocompasión reprimidos, aun cuando no aparezca ni en los pulmones ni en el intestino grueso.)

El bazo y el estómago: afectados por las preocupaciones, el estar a la defensiva, la depresión y el odio.

El corazón y el intestino delgado: afectados por la inseguridad y la simulación emocional (una forma de autoalienación). El dolor emocional profundo, cuando se reprime, terminará por aparecer en esas zonas. Las personas que están siempre en movimiento también serán afectadas en esas zonas, porque la incapacidad para relajarse indica que algo está reprimido, es decir, una forma de simulación.

Es importante entender que la relación entre los órganos y las emociones es recíproca: una vez que una emoción ha empezado a afectar a un órgano, la tensión en el órgano hace que la persona sea más susceptible a esa emoción. Por el contrario, cuando los órganos llegan a estar relajados y curados, la tendencia a experimentar esas emociones se ve reducida. La transformación puede producirse ya sea a través de la conciencia emocional y la liberación, ya sea a través de la curación del órgano asociado.

Aunque la tabla no se aplica a *todas* las situaciones –respirar gases de cloro concentrado dañará a los pulmones, haya o no haya aflicción–, entender la relación entre las emociones y el cuerpo es muy útil para el sanador, porque ayuda a explicar las causas básicas de muchos problemas corrientes. Además, si un sanador percibe que una persona está seriamente afectada por determinadas emociones, al conocer los órganos asociados examinará esos órganos en busca de tensiones emocionales albergadas allí y concentrará más energía curativa en las zonas afectadas.

Cada vez son más las personas que llegan a ser conscientes de que los alimentos que comemos pueden no ser tan decisivos para nuestro estado de salud como los pensamientos con que alimentamos nuestras mentes.

Imágenes

En cualquier lugar del cuerpo en que haya tensión o bloqueo (tensión y bloqueo son sinónimos aquí), acumulados con esa tensión están los recuerdos de lo que la causó. Diez años más tarde, si la tensión no ha sido liberada, el recuerdo seguirá encerrado en ella. Por tanto, a veces cuando usted se halle realizando trabajo de curación para una persona, ésta recordará espontáneamente acontecimientos del pasado. También es posible, puesto que se hallará en un estado sensible de conciencia, que usted mismo vea ese recuerdo cuando la tensión se relaje y se libere. No se perturbe por esas «imágenes». No son más que un signo de que algo está liberándose y de que la curación está llevándose a cabo. Mientras usted sigue canalizando, la liberación se completará. Más tarde, si le parece apropiado, puede compartir esas imágenes con la persona para quien está canalizando. En ciertas circunstancias, podría querer compartirlas mientras éstas suceden (pero no detenga la canalización mientras hace esto). Yo considero a estas imágenes como al mal tiempo. El mal tiempo no me molesta; simplemente sigo canalizando.

A veces no verá qué es la imagen, pero sentirá que una emoción particular pasa por la persona receptora. Esto es como el mal tiempo. Mientras usted sigue canalizando, la emoción se liberará por completo. En ciertas ocasiones su conciencia de la emoción al ser liberada activará en usted una emoción reprimida similar (aun cuando usted no sea consciente de lo que está liberando el receptor). Si sucede esto, usted no sentirá la emoción liberándose del receptor, sino que comenzará a experimentar la emoción en su propio cuerpo. Entonces puede pensar que queda envuelto por lo que libera el receptor; pero éste no es el caso. Si siente algo en su propio cuerpo, lo que está sintiendo es su propia materia. Por supuesto, la excepción es si usted está «imitando» la liberación del receptor, en cuyo caso no se halla perdido en la emoción, sino que está utilizando su cuerpo para ser consciente de lo que ocurre. (Véase capítulo 7, «La ilusión de recibir la "materia" de otras personas».)

Si comienza a sentirse emotivo debido a la aparición de su materia, permanezca relajado y despreocupado, y siga canalizando. Recuerde, es como el mal tiempo. Si usted no se resiste al mal tiempo, éste pasará. Esto es cultivar la «aceptación y la no-reacción conscientes». Si siente que se queda atascado, siempre puede retroceder y despejarse. (Si puede, primero espere hasta que el receptor haya terminado de liberar.)

Puede asombrarle el efecto que se producirá en la otra persona si usted está canalizando mientras experimenta su propia materia. En el peor de los casos, esto activará la liberación de alguna materia similar en la otra persona, lo cual es perfecto, pues el receptor está allí precisamente para liberar materia.

Ejercicio 5: escuchar el cuerpo de una persona

Éste es un ejercicio simple. «Oiga» o no algo, sienta o no algo, vea o no alguna imagen, el acto de escuchar es una buena costumbre a practicar antes de iniciar un equilibrio en profundidad. Cuando más bloqueada o traumatizada está una zona, más fácil es sentir que algo va mal, porque la zona tendrá una carga de energía concentrada. Además, sentirá que la zona será más resistente a la absorción de la energía que usted canaliza hacia allí. Al principio, sólo es capaz de sentir los bloqueos más graves, y puede encontrar bloqueos graves sólo a veces, pero durante esas sesiones dedicará más tiempo y dirigirá más energía adonde realmente es necesaria. Finalmente llegará a ser más sensible y estará en mejores condiciones de captar bloqueos más sutiles.

Para comenzar, elija qué persona «escuchará» primero. La otra persona estará acostada boca arriba, ya sea sobre un sofá, en una cama o en una mesa (encima de una colchoneta o manta doblada, para mayor comodidad). La persona que escucha puede sentarse o quedarse de pie, según le resulte más cómodo.

Quien escucha usa su mano para escuchar. Canalice un poco de energía hacia su mano y mientras la mueve sobre el cuerpo de su pareja, sienta lo que sucede en su mano a través de la energía. Esto es parecido a «controlar la energía», excepto que usted está utilizando una conciencia más general que la de mirar simplemente. Yo llamo a esto «sentir a través de la energía». Utilice la mano que prefiera (puede experimentar). Manténgala unos tres o seis centímetros encima del cuerpo, y muévala lentamente sobre éste, asegurándose de cubrir todos los órganos y chakras, incluyendo los chakras de las articulaciones. Puede variar la velocidad de su movimiento.

Puede sentir variaciones en el cuerpo cuando mueve sus manos. Algunos lugares pueden resultar más cálidos o más fríos, o puede haber una falta de vitalidad, lo cual indica que algún tipo de tensión (mental, emocional o física) impide la circulación de la energía. El bloqueo puede ser reciente o muy antiguo. En general, cuanto más fría o menos viva esté la zona, más antigua será la tensión. Puede sentir emociones en determinadas zonas. También puede ver imágenes, y si no siente ni ve nada, no se desanime. No trate de forzar las cosas. Limítese a permanecer abierto a todo lo que experimente.

Cuando haya terminado, pruebe otro modo de escuchar: a través del pulso de las muñecas del receptor. Sostenga la parte interna de ambas muñecas con la punta de sus dedos (con tres o cuatro dedos sobre cada muñeca), de modo que pueda sentir ambos pulsos sanguíneos. Imagine que los pulsos son una puerta a través de la cual puede ser consciente de la energía existente en todo el cuerpo del receptor. Puede ser capaz de sentir ira o miedo o alguna otra emoción en la persona. Puede sentirla sólo a través de la muñeca, lo cual indica que esa emoción es retenida en ese lado del cuerpo. El lado que palpita con más fuerza es el lado más bloqueado físicamente y, en general, el que necesita más ayuda, pero el otro lado todavía puede estar reteniendo cargas emocionales que necesitan ser liberadas.[15] Insisto:

15. En general, el lado izquierdo del cuerpo representa «las generaciones» y el lado derecho «la generación actual». La tensión del lado izquierdo es el estrés que se desarrolló en torno a la debilidad heredada, incluyendo pautas de bloqueo y emocionales recibidas en el seno materno. Metafísicamente, el lado izquierdo es la situación kármica

si no llega a ser consciente de nada al escuchar, no se desanime. Al practicar la técnica de escuchar, su conciencia se volverá más sensible.

Espere a haber terminado por completo la escucha antes de compartir sus experiencias con su pareja. Luego cambien de lugar y deje que su pareja le escuche a usted.

Cuando este ejercicio de escucha se efectúa al inicio de un equilibrio del aura en profundidad, usted tiene que decidir si es apropiado decir algo a la otra persona acerca de lo que «oye». En general, es mejor dejar para el final todo intercambio de información a fin de evitar cualquier discusión que podría interferir con el equilibrio. Si la persona le pregunta qué está haciendo mientras «escucha» (en este momento debería tener los ojos cerrados), puede explicarle que está recibiendo sensaciones para canalizarle energía.

Ejercicio 6: resistencia

Éste es el último ejercicio antes de comenzar el equilibrio en profundidad. El objetivo del ejercicio es aprender a reconocer cuando alguien produce un bloqueo que impide la recepción de energía curativa. Esto sucede raramente, y tal vez no lo encuentre

con que nacemos. La tensión del lado derecho es el estrés nuevo creado en la generación actual –que hemos generado a partir de nuestra situación kármica–, que incluye pautas de comportamiento estresantes que aprendimos imitando a nuestros padres. Empero, a menudo los síntomas físicos en un lado del cuerpo son provocados por el estrés retenido en el otro lado.

nunca, pero es importante ser capaz de reconocerlo si ocurriese, porque no puede levarse a cabo ninguna curación en la medida en que exista este tipo de bloqueo. A veces, puesto que el bloqueo es inconsciente, simplemente reconocerlo y pedir al receptor que le dé su autorización verbal para entrar en su aura será suficiente para derribarlo. Indique al receptor que diga en voz alta: «Te doy autorización para entrar en mi aura y realizar el trabajo de curación». Empero, hay ocasiones en que no puede hacerse nada. El receptor no es «incorrecto» o «malo» por producir un bloqueo; se trata de un medio instintivo de autoprotección y tal vez sea lo que la persona necesita en ese momento para su propia supervivencia y seguridad. (En una oportunidad me sucedió esto con una mujer que esta protegiendo un trauma reciente que aún no se hallaba preparada para abordar.) A veces podría ayudar hablar, *sin emitir juicios*, sobre la necesidad de protección por parte del receptor. De un modo comprensivo, usted puede mostrarle que entiende su deseo de protección y preguntarle si verdaderamente siente que la necesita en esa situación particular. Insisto, a veces no se puede hacer nada. Simplemente respete los deseos de la persona y dígale que no está en condiciones de continuar con la curación.

En este ejercicio, uno de ustedes canalizará energía curativa y el otro bloqueará. La persona que está bloqueando se acostará (boca arriba) sobre un sofá, una cama o una mesa acolchada, y el canalizador se sentará en una silla o permanecerá de pie. El canalizador entonces elige la energía curativa que prefiere y la canaliza hacia el chakra del corazón de la otra persona, mientras el receptor hace lo que puede en su interior para bloquear la energía y resistirse a recibirla. El canalizador debería preguntar al receptor que se resiste si está preparado antes de colocar sus manos sobre el chakra del corazón (sin tocarlo físicamente). Cinco minutos es suficiente, y luego el canalizador se convertirá en el receptor que se resiste. Todavía no hablen de sus experiencias.

A continuación, repita el ejercicio, sólo que esta vez utilice un medio diferente para bloquear la energía: el receptor que se resiste simplemente se imagina tendido dentro de un capullo de luz blanca protectora que es capaz de impedir la entrada de todas las energías externas. Recuerde: la energía sigue al pensamiento; de modo que limítese a creer que está protegido por este capullo y permítase sentirse relajado y a salvo dentro de él.

Después de que ambos hayan intentado canalizar a través del capullo, compartan sus experiencias. Comparen como sintieron la utilización de los diferentes métodos de bloqueo de energía y sus intentos de canalizar a través de ellos.

11. Equilibrio del aura en profundidad

Durante los primeros equilibrios del aura en profundidad que realice, le recomiendo trabajar con el segundo método de canalización, utilizando la energía terrenal de color vede (o si lo prefiere, la blanca). Existen varias razones para esto. Ante todo, porque usted recibe la energía a través de sus pies, permanece *en* sus pies, conectado con la Tierra. Al principio, debido a todos los cambios de energía que se producen durante el equilibrio de un aura, puede sentirse un poco perdido, «en Babia» o aprisionado en su cabeza. Una conexión consistente con sus pies le brinda una piedra sobre la cual pararse, algo sólido en lo cual centrar su atención. Con los otros métodos, el foco es más mental. Otra razón para utilizar el segundo método es que hace más fácil observar lo que pasa en el cuerpo del receptor. Daré más explicaciones sobre esto, aunque brevemente. Por último, si bien la mayor parte del equilibrio se realizará con este método, en el mismo final hay un paso en que se emplea el tercer método, produciendo un nivel de conciencia y energía más profundo. La energía de la tierra se utiliza para despejar el aura y los chakras del receptor, y luego más tarde la canalización del corazón lleva la curación a un nivel más profundo. Por consiguiente, si emplea el segundo método, estará trabajando con una energía que es fácil canalizar durante un tiempo prolongado, y al final del equilibrio el receptor seguirá resonando con la clase de energía más purificada representada por la canalización del corazón. Después de haber efectuado unos pocos equilibrios como éste, siéntase libre para experimentar la utilización de los otros métodos de canalización. Cuando se sienta cómodo con los tres métodos, entonces puede elegir el que considere más apropiado para las necesidades de la persona con quien está trabajando. Así mismo, siéntase libre de mantener los ojos cerrados mientras está canalizando, abriéndolos sólo para comprobar dónde están sus manos o para moverlas.

El principio del equilibrio del aura en profundidad

El principio básico del equilibrio del aura en profundidad es despejar el aura y los chakras del receptor, mantener equilibrado el sistema energético del cuerpo y circulando en una pauta correcta, y luego profundizar la cualidad de la energía curativa que fluye a través del receptor. Un equilibrio completo del aura puede tardar en cualquier lugar desde cuarenta y cinco minutos hasta una hora y media, dependiendo de lo profundamente que usted despeje a la persona (para una mayor profundidad se requiere más tiempo) y de lo bloqueada que esté al comenzar. Si una persona está bastante despejada, puede tardarse menos de una hora en realizar un buen equilibrio.

Cuando despeje el aura de la persona, comenzará encima de la cabeza del receptor en el octavo chakra y hará descender la energía por su cuerpo, despejando con ella cada chakra, y luego haciéndola salir por las manos y los pies. (Esto se explicará en detalle.) Para despejar los chakras por debajo del chakra de la corona se utiliza un modo simple de desplazar la energía curativa: ponga energía curativa en la coronilla con su mano derecha (a veces se emplearán otros chakras), mientras sostiene su mano izquierda encima del chakra particular que quiere despejar y sienta que la energía aparece allí. (El chakra corona conecta con todos los otros chakras.) Mientras la energía curativa pasa a través del chakra y sale por él, lo despeja. Cuando la energía alcanza el punto en que está fluyendo claramente entre sus dos manos, ello indica que el chakra está despejado y que la conexión entre ese chakra y el chakra corona, donde la energía del alma entra primero al cuerpo, también se halla despejado. Es muy fácil trabajar de este modo.

Todo lo que usted está haciendo es sentir la energía curativa en sus manos, manteniéndolas separadas y con el chakra que necesita ser despejado entre ellas. Después de que el chakra ha sido despejado de este modo, usted mantiene ambas manos sobre él durante un minuto y lo carga con mucha facilidad. (Mientras lo carga, puede parecer que absorbe energía como una esponja y luego, cuando está plenamente cargado, puede sentir que su energía curativa «rebota» contra él.)

Cuando esté utilizando el segundo método de canalización (que toma la energía de la tierra) para despejar chakras de esta manera, es muy fácil observar lo que sucede. Puesto que se requerirá un rato para que la energía de su mano derecha despeje el camino hacia su mano izquierda, cuando sostenga su mano izquierda sobre un chakra sentirá una caída en la energía de esa mano. Probablemente (no necesariamente) hasta sentirá esa caída en todo el lado izquierdo de su cuerpo. Cuando la energía se recupera, también lo hace la energía de la mano izquierda, y en el momento en que ambas manos y ambos lados de su cuerpo se sienten igualados, usted sabe que el chakra se halla despejado. Esto también sucede con los otros dos métodos de canalización, pero la caída y la recuperación de la energía no están definidos con tanta claridad. Con los otros dos métodos, en general el cambio sólo se produce en la mano, haciendo que resulte mucho más difícil de percibir. Este factor bastará para convertir al segundo método de canalización en la opción preferida para los primeros equilibrios de auras.

Durante el equilibrio podrán darse momentos en que usted se sentirá descentrado, o perdiendo la sensación de canalización o del flujo de energía. Siempre tómese tiempo para detenerse, sacudirse las manos y despejarse usted mismo.

Cuando termine el equilibrio del aura y hayan separado las auras de ambos, será necesario que se tome unos minutos para despejar completamente su propia aura, haya o no haya hecho esto durante el equilibrio. Esto significará despejar todos sus chakras. (Más adelante explicaré en detalle cómo hacer esto.) El objetivo de despejar es liberar toda la materia suya que pueda haberse activado, consciente o inconscientemente, en alguno de sus chakras durante el equilibrio.[16] En general, como se dijo en el capítulo 7, «La ilusión de recibir la "materia" de otra persona», y en «Imágenes» (página 121), permaneciendo despreocupado y tratando a toda la materia liberada, incluyendo la suya, como si fuese el mal tiempo que pasa, minimiza toda materia que necesitará despejar en usted mismo al final del equilibrio.

Un beneficio secundario de despejar su propia aura al final del equilibrio es que cuando haya terminado, sentirá como si también usted hubiese recibido un equilibrio del aura.

Realizar un equilibrio del aura es en realidad mucho más simple que explicarlo, de modo que no se preocupe por su primer intento. Lo hará estupendamente. Aunque olvide u omita algo, el receptor experimentará igualmente una curación muy profunda. Por tanto, no hay de qué preocuparse. Eso sólo originará intentos de acción, y usted sabe que aquí no hay espacio para ello. Limítese a respirar hondo... y relájese...

16. Si se encuentra atascado mientras está trabajando sobre una zona en particular del receptor, preste mucha atención cuando despeje esa zona en usted mismo, pues es una buena oportunidad para que también su propia materia aparezca allí.

Doce pasos para el equilibrio de un aura en profundidad

Para el equilibrio del aura en profundidad, el receptor debería estar acostado, en términos ideales sobre una camilla de masaje con el lado izquierdo de su cuerpo cerca de la orilla. El borde de una cama o de una mesa acolchonada también resultará estupendo. Puede utilizarse un sofá si no hay ninguna alternativa, pero los brazos pueden ser un obstáculo. Asegúrese de que haya espacio suficiente para que el canalizador se sienta o se pare detrás del receptor a fin de que sus manos puedan colocarse en el octavo chakra del receptor, a unos cincuenta a sesenta centímetros directamente detrás del centro de su cabeza. El canalizador puede trabajar parado o sentado, según le resulte más cómodo.

En la página siguiente aparece un diagrama de todos los chakras que utilizaremos, así como una lista de los doce pasos del equilibrio del aura, a los que puede utilizar como referencia mientras realiza el equilibrio.

Aunque yo llamo a este arte curativo «equilibrio del aura» (a veces llamado «equilibrio del chakra), no sólo implica el aura etérea y los chakras. Ellos son el vehículo básico para el equilibrio, pero la curación afecta muchísimo al cuerpo físico y en última instancia se dirige a la persona –el ser espiritual– que hay dentro de él. Existen muchos modos de hacer un equilibrio del aura en profundidad. El método que presento aquí es simple y efectivo, y produce un equilibrio y una curación muy profundos.

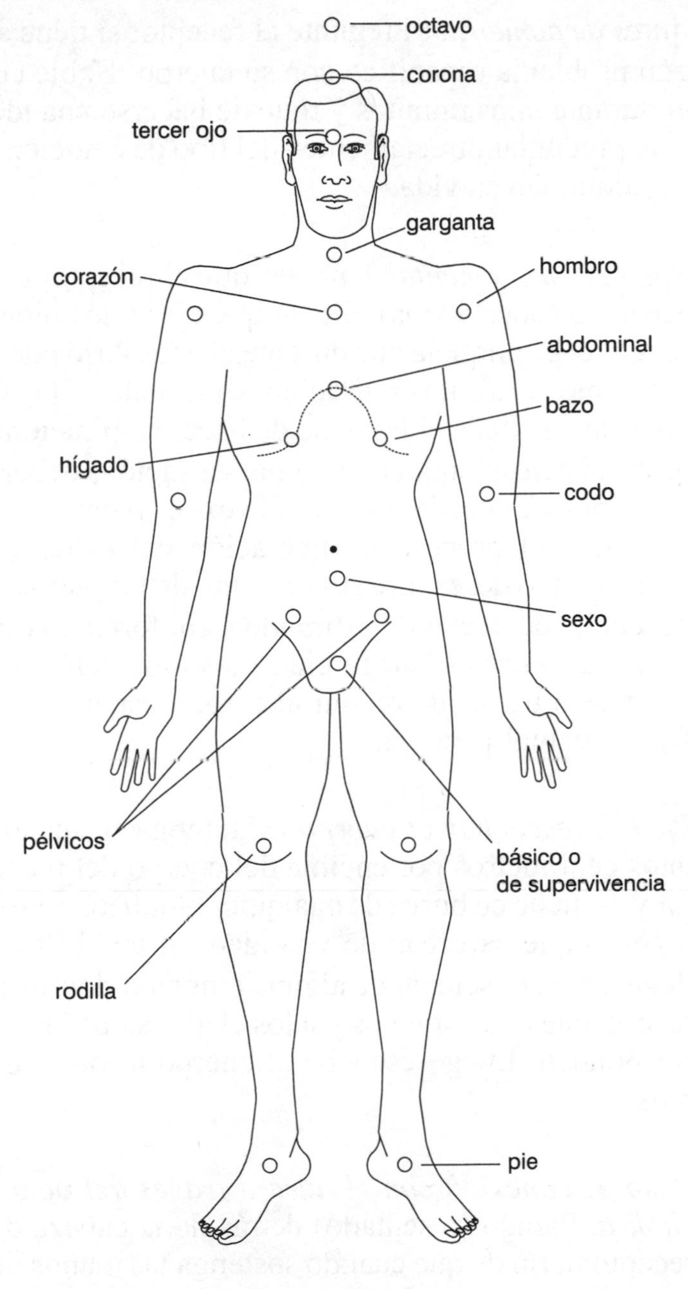
octavo
corona
tercer ojo
garganta
corazón
hombro
abdominal
bazo
hígado
codo
sexo
pélvicos
básico o
de supervivencia
rodilla
pie

LOS CHAKRAS

Antes de comenzar. Pregunte al receptor si tiene algún problema específico con su cuerpo. Hable con él durante unos minutos y trate de hacerse una idea –sin preguntar directamente– del tipo de emociones que dominan su vida.

Paso 1: forma mental. Una vez que el receptor está acostado (boca arriba), dígale que cierre los ojos y se relaje. Explíquele que durante el equilibrio puede experimentar (o no) sensaciones inusuales. Hágale saber que si tiene el impulso de hacer respiraciones profundas, o si aparece alguna sensación, debería permitir que suceda todo lo que experimente, pues es parte del proceso de liberación del estrés del cuerpo. Si lo desea, tire suavemente de las piernas y del cuello del receptor, estirando y confortando esas partes del cuerpo. Luego cierre los ojos, relájese y céntrese a través de recibir aliento, y establezca la forma mental curativa.

Paso 2: escuchar el cuerpo. Mantenga su mano a unos centímetros por encima del cuerpo del receptor y escuche en busca de cualquier bloqueo, trauma o zonas que carezcan de vitalidad. Si en el Paso 1 llega a ser consciente de alguna emoción dominante, escuche a los órganos y a los chakras que les corresponden. Luego escuche al cuerpo a través del pulso.

Paso 3: conexión con el aura a través del octavo chakra. Parado (o sentado) detrás de la cabeza del receptor a fin de que cuando sostenga las manos delante de usted sienta la energía en ellas, ahuecará las

PASOS DE EQUILIBRIO DEL AURA

1. *Forma mental.*
2. *Escuchar el cuerpo.*
3. *Conexión con el aura a través del octavo chakra.*
4. *Llevar la energía curativa a través del cuerpo.*
5. *Despejar y cargar los chakras.*[17]
6. *Necesidades específicas (opcional).*
7. *Equilibrio izquierda-derecha.*
8. *Circulación de la energía.*
9. *Reconexión con el octavo chakra.*
10. *Canalización del corazón.*
11. *Separación de las auras.*
12. *Despejar su propia aura.*

manos encima del octavo chakra (de cincuenta a sesenta centímetros detrás del centro superior de la cabeza del receptor). Una vez que ha tomado su posición, establezca la canalización y luego sostenga las manos delante de usted y cargue el espacio aéreo en que estaría el octavo chakra del receptor (véase la figura de la página siguiente). Cuando sienta la fuerza de la energía, imagine a la energía curativa en sus manos y en el octavo chakra descendiendo desde la coronilla de la cabeza del receptor y conec-

17. En este orden: 6º, 5º, 4º, 3º, bazo, hígado, 2º, 1º, ambos pélvicos, rodilla y pie izquierdo, rodilla y pie derecho; hombro, codo y mano izquierdos; hombro, codo y mano derechos.

tando con el resto del cuerpo. Continúe cargando el octavo chakra mientras visualiza y trata de sentir esta conexión. Si no puede sentir la conexión, simplemente visualícela, y luego siga con el paso siguiente.

Paso 4: purificar el cuerpo con energía curativa. Acérquese más a la coronilla de la cabeza del receptor con el objeto de mantener sus manos a unos centímetros detrás del chakra corona. (Si está sentado, tendrá que acercar la silla.) Las palmas de sus manos deberían enfrentarse en forma parcial, quedando la otra mitad mirando hacia la coronilla de la cabeza del receptor. Canalice la energía curativa en el chakra corona y visualícela penetrando en la cabeza del receptor, llenando todo su cuerpo y saliendo por sus manos y pies. Siga el desplazamiento de la energía y vea realmente las manos y los pies abiertos cuando la energía sale por ellos. (Si la pelvis parece bloqueada, canalice energía directamente en los chakras pélvicos antes de seguir con el paso 5.)

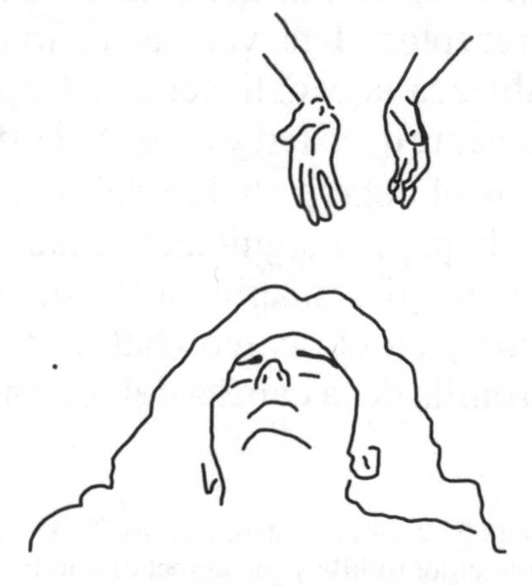

Paso 3: cargar el octavo chakra.

Paso 5: despejar y cargar los chakras.

a. Mantenga su mano derecha a unos tres y seis centímetros de distancia respecto de la coronilla de la cabeza del receptor (con la palma mirando hacia los pies del receptor) mientras sostiene la mano izquierda a unos centímetros por encima del sexto chakra (el tercer ojo). Espere hasta sentir un limpio flujo de energía desde su mano derecha hacia la izquierda (repase la página 128 para lo que se espera que suceda aquí) y luego mantenga ambas manos sobre el tercer ojo y canalice directamente hacia él durantc un minuto (sin tocarlo físicamente). Repita este procedimiento con el chakra de la garganta, el chakra del corazón, el chakra abdominal, el chakra del bazo, el hígado, el chakra del sexo y el chakra base o de subsistencia, en ese orden (véase la ilustración de la página 133).

La mano derecha tenderá a apartarse de la coronilla de la cabeza del receptor. Sea consciente de esto, pues es la coronilla de la cabeza la que conecta

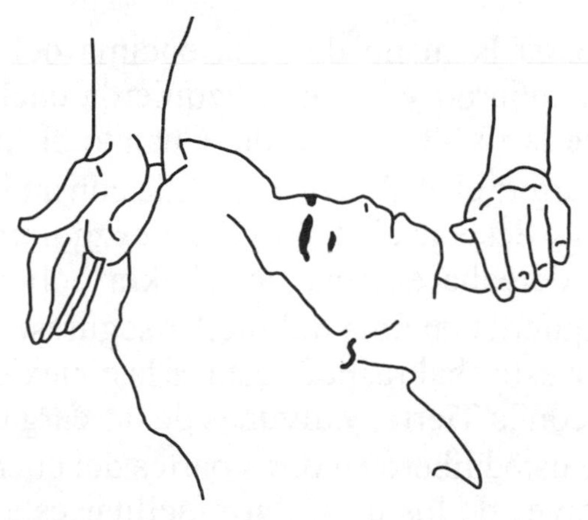

Paso 5: despejar el chakra de la garganta.

directamente con los demás chakras. Si su mano izquierda tiene dificultades para llegar a los chakras inferiores que se despejan en este paso, coloque su mano derecha sobre el chakra del corazón.

b. (Este paso es necesario, aun cuando haya trabajado sobre la pelvis en el paso 4.) Nuevamente, mantenga la mano derecha a unos tres o seis centímetros del chakra de la corona y la mano izquierda encima del chakra pélvico. (Si este chakra también está demasiado lejos para que usted se estire hasta allí, mantenga la mano derecha sobre el chakra del corazón.) Cuando el flujo de energía es limpio, en forma individual cargue el chakra pélvico izquierdo con ambas manos y luego siga el mismo procedimiento con el chakra pélvico derecho. Es muy importante asegurarse de que esos chakras estén despejados, o de lo contrario la energía tendrá dificultades para llegar a las piernas, y las partes superior e inferior del cuerpo no se integrarán.

c. Mantenga la mano derecha encima del chakra pélvico izquierdo y la mano izquierda encima del chakra de la rodilla izquierda. Cuando el flujo sea limpio, cargue el chakra de la rodilla con ambas manos. Luego despeje el chakra del pie izquierdo (con la mano derecha encima del chakra pélvico y la mano izquierda encima del pie.) Asegúrese de despejar bien este chakra, pues ésta es la conexión de la persona con la Tierra, y algunas de las cargas negativas que usted liberó en otras partes del cuerpo saldrán a través de los pies. Para facilitar esta liberación, cuando el chakra del pie parezca despejado, visualice la energía saliendo por la parte inferior del pie, y cuando vaya a cargar el chakra con ambas manos, visualice a la energía curativa entrando directamente a través de la planta del pie. Luego coloque su mano izquierda a unos treinta centímetros de la planta para asegurarse de poder sentir la energía saliendo por ella. (Si primero no despeja el pie lo suficiente, puede reaccionar ante las cargas negativas que salen por su mano. Las cargas en sí mismas no pueden hacer daño, pero su reacción ante ellas podría dejarle atascado. Si sucede esto, siempre puede retroceder y despejarse.) Cuando haya terminado, haga lo mismo con la pierna derecha.

d. Sostenga la mano derecha sobre el chakra del corazón del receptor y la izquierda encima del chakra del hombro. Cuando sienta una clara conexión entre sus manos, cargue el chakra con ambas manos. Luego despeje y cargue el chakra del codo izquierdo, y a continuación el chakra de la mano izquierda, manteniendo la mano derecha encima del chakra del corazón durante la fase de despeje. (Si el tiempo es limitado, omita la carga de estos chakras.) Cuando haya terminado con el brazo izquierdo, haga lo mismo con el hombro y el brazo derechos. (Si el receptor está acostado sobre una camilla de masaje, cuando canalice hacia su brazo y pierna izquierdos, puede trabajar desde el lado opuesto de la camilla si lo prefiere, cambiando de manos.)

Paso 6: necesidades específicas (opcional). Este paso se realiza sólo si el receptor necesita curación en una zona que no se ha cubierto. Simplemente, canalice energía curativa hacia esa zona. Utilice el método de canalización que considere que funcionará mejor. Este paso es igual al «Ejercicio 3: Puntos de dolor» (véase página 92). Puede tocar la zona mientras canaliza para transferir más energía. Si la zona problemática se halla en la espalda del receptor, quizá quiera pedirle que se ponga boca abajo y luego hacerle volver a su posición original cuando haya terminado de canalizar. (Para algunos problemas, puede llegarse a la espalda canalizando desde la parte delantera.)

Paso 7: equilibrio Izquierda-Derecha. Ahora es importante equilibrar los lados izquierdo y derecho del cuerpo en relación uno con el otro. Mantenga una mano sobre el chakra pélvico izquierdo y la otra encima del chakra pélvico derecho. Espere hasta que se produzca una sensación de igualación. Haga lo mismo con el hígado y el bazo, y después con los chakras de ambos hombros. (Para los hombros, tal vez le resulte más cómodo pararse detrás de la cabeza del receptor.) En este paso usted no está canalizando hacia una mano y recibiendo con la otra. Simplemente permite que la energía pase a través de sus manos y de usted mismo en cualquier dirección a la que quiera ir, a fin de que los lados, izquierdo y derecho lleguen a estar equilibrados.

Paso 8: circulación de la energía. Ahora la energía se desplaza suavemente por todo el cuerpo del receptor. Entra en la cabeza a través del octavo chakra y sale por las manos y los pies. Todos los chakras están despejados y ambos lados del cuerpo se hallan equilibrados. Éste es el momento para que la energía circule en la pauta específica que el cuerpo necesita. Párese (o siéntese) junto a la cabeza del receptor y mantenga su mano derecha detrás del chakra corona como antes. Mientras mantiene su mano allí, mire el pie izquierdo y sea consciente de la energía que sale por la planta. Luego imagine que su mano es una especie de imán. Visualícelo o siéntalo acercarse a la planta del pie con el propósito de impedir que la energía escape, y vea o sienta a la energía siendo llevada hacia arriba por su mano a lo largo de la parte trasera de la pierna, ascendiendo por el lado izquierdo dc la espalda y dc la partc posterior de la cabeza. Cuando llegue a la coronilla de la cabeza, imagínela volviendo a descender por la parte frontal izquierda del cuerpo hasta el pie, de modo que se cree un gran círculo de energía subiendo por la parte corporal trasera y frontal. Puesto que la energía sigue al pensamiento, cuando visualice y sienta a este círculo de energía fluyendo, la energía fluirá. Puede ayudar a su visualización si coloca la mano izquierda sobre el chakra pélvico izquierdo e imagina que esta mano también es un imán, llevando hacia abajo la energía desde la mano derecha y la cabeza. Asegúrese de que imagina a la energía yendo *más allá* de su mano izquierda hasta el pie. Cuando tenga a este círculo de energía desplazándose, cree también uno en el lado derecho. En Jin Shin Jyutsu, estos flujos de energía reciben el nombre de flujos de inspección; estos flujos armonizan la energía en cada lado del cuerpo.

Cuando ambos flujos de inspección estén en movimiento, imagine un flujo de energía que va de un lado a otro en la parte frontal del cuerpo, esta vez en el centro, subiendo por la espina dorsal desde el cóccix y bajando por la parte delantera, pasando por el hueso púbico hasta el cóccix, formando un círculo completo. Sienta que su mano derecha imantada lleva la energía hacia arriba por la espina dorsal y, si ello ayuda, coloque la mano izquierda cerca del hueso púbico y sienta esta mano atrayendo la energía hacia abajo desde la mano derecha y la cabeza. Para muchas personas, la mano en la parte trasera de la cabeza es suficiente para crear esta visualización. Asegúrese de que la energía forme un círculo completo. En Jin Shin Jyutsu este círculo de energía recibe el nombre de flujo principal de energía central. Contribuye al equilibrio izquierda-derecha y regula y alimenta todo el sistema de energía del cuerpo. La acupuntura tiene meridianos correspondientes para este flujo de energía, que son de suma importancia. No es accidental que todos los chakras mayores del cuerpo, con excepción del bazo, se hallen en su sendero.

Paso 9: reconexión con el octavo chakra. Ahora vuelva a la posición en la cual comenzó a realizar el equilibrio: parado o sentado detrás del octavo chakra. Cargue nuevamente el octavo chakra y sienta su conexión con todo el cuerpo. Para la mayoría de la gente, éste y el paso siguiente son los momentos más intensos del equilibrio. Este paso pone a todo el equilibrio en armonía con la energía del alma, que llega al aura a través del octavo chakra.

Paso 10: canalización del corazón. Ahora, el receptor está plenamente equilibrado y su aura se halla expandida y abierta. Éste es el momento para llevar todo el equilibrio a un nivel más profundo con la canalización del corazón y luego comprimir un poco el aura.

a. Establezca el tercer método de canalización, la canalización del corazón. Luego canalice directamente hacia el chakra del corazón (sin tocar al receptor físicamente), visualizando la energía esparciéndose por todo el cuerpo. Sienta el nivel más profundo de amor incondicional que pueda experimentar, y compártalo con el receptor, derramándolo en su corazón. Obsérvelo colmar todo el cuerpo del receptor.

b. Ahora imagine que el aura expandida es como una nube. Poco a poco, agrúpela con sus manos, envolviéndola alrededor del receptor, comprimiéndola un poco (a fin de que el receptor se sienta más sólido y en contacto con la Tierra cuando se levante), y formando un capullo con ella. Haga esto en forma gradual, porque ahora el receptor es muy sensible y vulnerable.

Paso 11: separación de las auras. Ahora apártese del receptor, separando lenta y suavemente sus auras mientras lo hace. No realice ningún movimiento repentino o brusco.

Paso 12: despejar su propia aura. Es mejor hacer esto en otra habitación, dejando al receptor descansar solo durante un rato.

a. Sacúdase las manos con energía.

b. De manera consciente, proyecta el pensamiento: «Ahora toda energía negativa saldrá de mi aura.» (Usted es quien gobierna su propia espacio.) Mientras piensa esto, sienta que se libera de toda energía negativa que pueda haberse activado durante el equilibrio. Siéntala salir de su aura para ser absorbida por el aire.

c. Entréguese al primer método de canalización, la energía del sol. Abra las plantas de sus pies y deje que la energía del sol purifique todo su cuerpo, llevándose de él toda energía negativa, permitiéndole salir a torrentes de sus manos y pies. En especial, asegúrese de que sus brazos y manos lleguen a estar despejados.

d. Dirija la energía del sol hacia los chakras y articulaciones de su cuerpo que correspondan a aquellos en los que usted trabajó al realizar el equilibrio del receptor. Sienta la energía entrando por la coronilla de su cabeza, fluyendo por su cuerpo y a través de cada chakra, despojándolos. Utilice el mismo orden empleado para despejar los brazos cuando se trataba de generar equilibrio (usando sólo la energía del sol).

e. Sienta que se iguala la energía entre sus caderas izquierda y derecha, su bazo y su hígado, y sus hombros.

f. Sienta las plantas de los pies cerrándose y visualice a los tres flujos (parte superior de la espalda-parte inferior-parte frontal) armonizando y a la energía circulando en su cuerpo en una pauta correcta.

g. Sienta su aura en equilibrio conectada como un todo con su octavo chakra.

h. Sienta que la canalización del corazón entra en su corazón.

i. Sienta que su aura llega a estar más comprimida.

Ahora ha terminado. Deje que el receptor descanse durante un rato e integre la curación que se ha llevado a cabo. También sería un buen momento para que se siente en silencio durante unos minutos, repasando mentalmente el equilibrio y experimentando su propio cuerpo en un estado de equilibrio. Luego vaya a lavarse manos y brazos (desde los codos hacia abajo), dejando que el agua fría corra sobre ellos durante un minuto. Esto ayuda a despejar cualquier remanente de carga negativa que haya quedado en sus brazos o manos, y también resulta refrescante.

La próxima vez que realice un equilibrio de aura trate de cambiar de colores mientras canaliza, utilizando sobre cada chakra uno de sus colores correspondientes (por ejemplo, rojo para el primer chakra; ver páginas 109-116). Utilice el blanco para el octavo chakra, y blanco, verde, azul o rojo (pero no con inflamación) para las articulaciones. Éste es el modo preferido para efectuar el equilibrio del aura con el segundo método de canalización.

Luego realice un equilibrio del aura empleando el primer método de canalización y después utilizando el tercero.

EL CUARTO MÉTODO

12. Curación a través de la unidad (opcional)

El cuarto modo de curación funciona de manera muy diferente a los tres primeros métodos. Éste no es un método de canalización de energía curativa; es mucho más directo. Con los métodos de canalización, usted siempre se halla separado de la persona para quien está canalizando. La energía llega a través de usted y se dirige hacia la otra persona, que está afuera. Con el cuarto método, «curación a través de la unidad», usted en realidad llega a ser la otra persona, y entonces, *como la otra persona*, se cura.

La curación a través de la unidad puede ser sumamente poderosa. Habrá ocasiones en que por más energía que se canalice no se podrá liberar el bloqueo que mantiene la otra persona. En esos momentos, la curación a través de la unidad suele hacer posible una liberación.

En lugar de trabajar con energía, este método de curación trabaja con *conciencia*. Utiliza la conciencia de unidad: que más allá de nuestra experiencia de separación existe una unidad fundamental en la cual se manifiesta toda conciencia individualizada. Metafóricamente, aunque haya muchas horas en el árbol de la vida, todas ellas son parte de un árbol. Por consiguiente, la conciencia del árbol como un todo debe existir en cada parte, y cada parte debe contener dentro de ella la conciencia del árbol completo.[18]

Para utilizar la curación a través de la unidad, simplemente cambie su conciencia de ser una hoja para pasar a ser el árbol. Como el árbol, la persona que necesita curación es simplemente una parte de usted. Puesto que usted está en todas sus partes, centre su conciencia en ser esa parte de usted mismo. En otras palabras, encuentre dentro de su Yo (más grande) el lugar en que es la persona que necesita curación. Cuando llegue a ser esa persona, será capaz de sentir lo que se halla bloqueado. Tendrá una sensación mucho más intensa de lo que se halla bloqueado que la que pueda experimentar una persona, porque contará con la ventaja de ser a la vez la persona y de tener un punto de vista externo. El paso siguiente requiere cierta creatividad. Una vez que sabe que se halla bloqueado (dentro de usted-mismo-como-la-otra-persona), puede percibir (¡o inventar!) una manera de liberar el bloqueo. Pre-

18. Esto es lo que Jesús quiso decir cuando dijo: «Estoy dentro del Padre y el Padre está dentro de mí.» Los científicos han aprendido que es posible la existencia de una estructura tan paradójica, pues ahora están en condiciones de crear hologramas, imágenes tridimensionales construidas con luz (a partir de negativos holográficos), en los cuales puede construirse una perspectiva del holograma completo a partir de cualquier trozo del negativo, por pequeño que sea.

gúntese qué necesita hacer usted-como-la-otra-persona para efectuar internamente la liberación del bloqueo, y luego hágalo. No tenga miedo de experimentar. Si prueba algo y no funciona, intente alguna otra cosa. A continuación se incluyen algunos ejemplos para que se ponga en marcha.

1. Si lo que ha quedado bloqueado es una carga emocional, como-la-otra-persona usted puede:
   a. permitirse liberarla.
   b. conceder a esa parte de usted suficiente amor (o vitalidad) para liberarla.
   c. permitirse experimentar cómo se sentiría sin esa carga (lo cual servirá para liberarla).

2. Si lo que ha quedado bloqueado parece más físico, como-la-otra-persona usted puede:
   a. permitirse sentir la carga emocional que es responsable de la situación física y entonces realizar lo indicado en el número 1.
   b. permitirse experimentar cómo se sentiría su cuerpo si estuviese sano en esa zona.
   c. imaginar qué cambios en circulación, características del tejido, etc., tienen que producirse para efectuar una transformación, y luego permitirse experimentar esos cambios.

Lo principal es ser creativo. Siga a su intuición. Una vez que ha llegado a ser consciente de lo que ha quedado bloqueado (a través de ser la otra persona), también tiene la opción de volver a uno de los métodos de canalización, pues ahora será capaz de canalizar más específicamente hacia el problema exacto.

Puede que le resulte más fácil la curación a través de la unidad si la practica primero dentro de su Yo. La curación a través de la unidad puede utilizarse mientras sus manos están sobre la otra persona, mientras se halla sentado cerca de ella, pero sin tocarla o mientras la otra persona se encuentra lejos. Puesto que la curación a través de la unidad implica trabajar a través de la conciencia de su Yo, está operando a un nivel que se halla más allá del tiempo y del espacio. La única ventaja de estar en la misma habitación con la persona es que si usted no la conoce bien, tenerla presente le dará una sensación más nítida del receptor para buscar dentro de su Yo.

Algunas personas pueden experimentar la aparición de un bloqueo psicológico con la utilización de la curación a través de la unidad. Por ejemplo, si la persona que necesita curación tiene un tumor, el sanador puede temer permitirse llegar a ser la otra persona. Puede existir un miedo a la «contaminación», a imitar lo que la otra persona tiene y recrearlo dentro de sí mismo. Si aparece este miedo, puede reconocerlo como tal y elegir pasarlo de largo (teniendo la fe en que está a salvo y sabiendo que todo lo que puede «recibir» es su propia Materia), o puede elegir ser controlado por el temor y replegarse. (¡Realmente, es una opción!) si cree con suficiente convicción que podría recrear el tumor dentro de usted, entonces es posible que lo haga, pues tiene el poder de generar cualquier materia (*¡su propia materia!*) en la que crea. (Vuelva a leer «La ilusión de recibir la "materia" de otra persona», capítulo 7.)

Si esta clase de miedos son muy fuertes en usted, entonces probablemente no debería utilizar este cuarto modo de curación; su miedo le impedirá estar lo bastante abierto para experimentar plenamente a la otra persona y ser eficaz. Es imposible crear curación mientras se resiste intencionalmente a la persona o al estado a ser curado. Como con los otros métodos de curación, cualquier negatividad que sienta luego no es más que un reflejo de su propia resistencia, y en este método ello también probablemente indicará que el estado a ser curado no está liberado del todo. Si lo necesita, puede despejar su aura como lo hizo después de utilizar los métodos de canalización.

El método curativo por medio de la unidad es la más sutil de todas las formas de manifestación de la curación, pues no emplea energía en absoluto; trabaja por completo a través de la conciencia expandida. En consecuencia, mientras algunas personas estarán bloqueadas debido a su miedo, otras no se hallan en condiciones de emplear este método de curación por su incapacidad para cambiar su conciencia y liberarse de su sensación normal de las limitaciones personales. También esto puede deberse al miedo, aunque a menudo la sensación de un individuo de su yo personal normal es demasiado fuerte para transformarla en un tipo de conciencia diferente. No obstante, a las personas que pueden expandir su conciencia este modo de curación puede resultarles excitante, pues les brinda una apreciación de la experiencia de unidad, pero si usted tiene dificultades, no se fuerce a conseguir que funcione. Como con los métodos de canalización, los *intentos de acción* bloquearían el flujo de lo que es necesario que suceda. Por ahora, limítese a aceptar el escollo y vuelva a él periódicamente en el futuro. En algún punto, la conciencia necesaria se activará en su lugar apropiado.

La curación a través de la unidad, más que cualquier otra herramienta de curación, nos recuerda que cuando estamos dando de nosotros mismos para curar a otra persona, realmente nos hallamos curándonos a nosotros mismos.

Apéndice A

Ejercicio 7: meditación del chakra

Esta meditación se ofrece como otro modo en el cual puede utilizar su conciencia de la energía y de los chakras para trabajar sobre usted mismo. Le ayudará a activar y liberar los bloqueos emocionales y otras tensiones de sus chakras, así como a cargarlos y llevarlos a un nivel más elevado de resonancia. Sería útil releer primero el apartado sobre chakras en el capítulo 10. Esto le hará más consciente de la clase de cuestiones y tensiones que están asociadas con cada chakra, por lo que será más consciente de lo que sucede dentro de usted durante la meditación.

Puede efectuar esta meditación sentado en el suelo o en una silla Aunque esté sentado, es importante mantener la espalda y la espina dorsal recta pero no rígida; es necesario relajarse para realizar cualquier meditación en forma apropiada.

Esta meditación emplea una técnica de respiración de colores en los chakras principales. También usaremos los dos chakras pélvicos, puesto que la pelvis actúa como un cimiento para los chakras de la parte superior y (cuando se abre) conecta de manera automática las piernas con el torso, favoreciendo la integridad, así como creando un sendero para la liberación emocional a partir de esos chakras. En la meditación, el uso del color tiende a activar bloqueos emocionales y otras tensiones en los chakras, trayéndolos a la superficie donde usted pueda llegar a ser consciente de ellos y, al respirarlos, proceder a liberarlos. Cuando en un chakra se encuentra más de un color, a veces resulta útil tratar de respirar en él cada uno de sus colores, pues los diversos colores pueden resonar con los diferentes bloqueos y activarlos.

La meditación

1. Con los ojos cerrados, llegue a ser consciente de la zona del chakra pélvico izquierdo. Respire en esa zona, como si sus pulmones realmente estuviesen localizados allí. Visualice su respiración yendo hacia esa zona, y al mismo tiempo sienta a la respiración colmándola. Ahora, en lugar de visualizar/sentir que está respirando aires, imagine/sienta que está respirando *luz anaranjada* en el chakra. Siga haciendo esto hasta que sienta que el chakra se halla despejado. Un signo que indica que el chakra se ha despejado es la repentina sensación de una sonrisa o de una luz que se origina en el chakra y recorre su cuerpo. También puede experimentar una sensación de apertura o espacio. Esto siempre indicará que al menos se ha despejado parte del chakra. Cuanto más intensa o más completamente experi-

mente la sonrisa, luz, apertura o espacio, más profundo será el despeje. Si siente alguna tensión, molestia o malestar emocional, esto es una indicación de que algo ha quedado bloqueado. No evite esas sensaciones; más bien trate de localizar la fuente de la sensación y respira luz naranja directamente hacia ella. Debido a la afinidad del color naranja con la pelvis, la luz naranja tenderá a activar cualquier cosa que haya quedado bloqueada allí, trayéndola a la superficie donde usted puede respirarla y despejarla. Cuando haya terminado con el chakra pélvico izquierdo, haga lo mismo con el derecho.

2. Respire *luz roja* en su primer chakra (de la base) hasta que lo sienta despejado.

3. Respire *luz anaranjada rojiza* en su segundo chakra (sexo) hasta que lo sienta despejado.

4. Respire *luz verde* en su chakra abdominal (Opcional: cuando lo sienta despejado, respire luz amarilla en el chakra, y vea si este color activa algún otro bloqueo.)

5. Respire *luz rosada* en el chakra del corazón (Opcional: pruebe luz dorada, luz blanca o luz frambuesa.)

6. Respire *luz azul* en el chakra de la garganta. (Opcional: pruebe luz blanca o plateada.)

7. Respire *luz índigo* en su tercer ojo. (Opcional: pruebe luz azul, púrpura o blanca.)

8. Respire *luz violeta* en su chakra corona. Cuando este chakra se despeje, puede sentir de repente un arco iris de luces de colores subiendo hasta él, lo cual es un reflejo de su conexión con todos los otros chakras y colores. También puede sentir otra clase de estallido repentino de energía, pues con la purificación de este chakra, todos los chakras reciben más energía y llegan a una nueva alienación y resonancia. (Opcional: probar luz blanca.)

9. Respire *luz blanca* en su octavo chakra. También aquí puede sentir un estallido repentino de energía.

Ahora, mientras continúa respirando, siéntese en silencio durante unos minutos (o más tiempo) y experiméntese en este estado cargado, resonante y abierto.

Para profundizar más esta meditación, cuando haya terminado las instrucciones precedentes, incluyendo la meditación al final, repita el proceso, volviendo a comenzar con los chakras pélvicos, recibiendo la respiración y la luz en cada chakra más profundamente que la primera vez.

Apéndice B

Una teoría alternativa de la enfermedad

La enfermedad es un desequilibrio del sistema de energía del cuerpo. Un cuerpo se encuentra desequilibrado cuando alguno de sus senderos de energía está bloqueado, provocando estancamiento celular, orgánico y sistemático, lo cual suele ser alimento para virus y bacterias. *Los virus y las bacterias no causan enfermedad; se alimentan de ella.* Aunque un virus presente en un cuerpo puede pasar a otro a través de la tos, el beso, la relación sexual, etc., si el segundo cuerpo está libre del desequilibrio y del estancamiento que alimentan a ese tipo particular de virus, el virus no puede albergarse en él.[19]

19. Los experimentos realizados inyectando a animales sanos concentraciones virus o bacterias haciendo que lleguen a estar enfermos no prueban nada sobre la naturaleza de la enfermedad, pues no es así como se produce la enfermedad naturalmente. Una analogía es la historia de un oriental que fue a Occidente, y cuando vio buitres comiendo reses muertas supuso que las aves habían matado a los animales. Cuando los occidentales insistieron en que los buitres y no matan animales vivos, el ciudadano oriental decidió demostrar que tenía ra-

Una vez que este concepto de enfermedad es entendido realmente, el modelo médico occidental estándar para tratar a la enfermedad empieza a parecer algo incompleto. A menudo oigo que se administra antibióticos en forma continuada a bebés con infecciones de oídos. La madre simplemente sacude la cabeza y dice: «En el momento en que deja de tomar antibióticos, vuelve a enfermarse.»

No obstante, a la madre nunca se le ocurre que su hijo no se cura porque no se está abordando la *causa*. La medicación prescrita mata a las bacterias que se alimentan de la enfermedad, pero tan pronto como se deja de tomar el antibiótico, afluyen más bacterias para alimentarse de ella.[20]

Muchas clases de enfermedades (desequilibrios) no alimentan virus o bacterias, pero provocan debilidad o dolor físico. Las migrañas, la artritis, las náuseas y las úlceras todas son *síntomas* de esta clase de enfermedad. También aquí, si los síntomas (por ejemplo, la migraña) se perciben como la enfermedad misma, se utilizará la prescripción de medicamentos, lo cual tendrá algún efecto sobre el síntoma (además de causar efectos secundarios), *pero no curará la enfermedad*.[21] Un ejemplo simple de

zón: capturó un centenar de buitres y los puso en una jaula con un pequeño animal vivo ¿Qué supone que sucedió?

20. Es importante destacar que si usted no tiene acceso a modos naturales fiables de tratar tales enfermedades, este ciclo vicioso de tratamiento continuo con antibióticos puede ser su única alternativa.

21. Puesto que toda prescripción de medicamentos tiene efectos secundarios, cualquier utilización de ellos para «curar» enfermedades provoca otros problemas, lo cual indica que el conocimiento de la enfermedad por parte del modelo médico occidental es fundamentalmente incompleto.

esto fue una mujer que vino a mí en busca de ayuda para sus migrañas crónicas después de que su médico decidiese inyectarle cortisona –una droga muy fuerte– en el cuello y en los hombros para obligarlos a relajarse. Además de los efectos secundarios de la cortisona (incluyendo la anulación del sistema inmunológico del cuerpo), esta «cura» habría sido sólo temporal, pues estuvo dirigida al síntoma de la enfermedad, no a la enfermedad en sí. (Finalmente, el efecto de la cortisona desaparece, requiriendo otra dosis, una dosis más fuerte, puesto que la enfermedad real, que sigue sin atenderse ha empeorado. Con frecuencia, se desarrollará un estado más grave; (véase nota al pie, página 99). Mi trabajo de curación con la mujer reveló que estaban bloqueados los senderos de energía en su pelvis, y cuando éstos fueron despejados, sus dolores de cabeza desaparecieron por completo. De manera típica, el bloqueo de energía responsable de los síntomas físicos estará en una parte diferente del cuerpo a la de los síntomas; de ahí lo absurdo de tratar a los síntomas como si fuesen la enfermedad real. Esta creencia falsa de que los síntomas son la enfermedad también da origen a la ilusión de que los medicamentos curan. Pero *sólo la fuerza vital natural de una persona puede generar curación* y, por consiguiente, la curación sólo puede *facilitarse* mediante el incremento de la vitalidad, de la conciencia y del flujo de energía de la persona, o por su disposición a experimentar amor.

Por último, claro está, la mejor cura de toda enfermedad es prevenirla. Por tanto, la próxima pregunta lógica es: ¿cómo llegan a quedar bloqueados los senderos de energía? Llegan a quedar bloqueados por el estrés físico, mental y emocional, y lo que nos hace vivir de modos que generan este estrés son nuestras actitudes y creencias. Por ejemplo, si usted cree que debería ponerse furioso cuando un coche le intercepto, cuando su jefe le despide, o cuando oye alguna noticia que no le gusta, entonces generará estrés para usted mismo en la forma de ira, que bloqueará su sistema de energía. El hecho de que piense que es natural ponerse furioso en tales situaciones es simplemente una indicación de lo profundamente que cree en la ira. Si cree que es natural preocuparse por el futuro, por sus hijos o por su trabajo, entonces elegirá preocuparse y bloquear con ello su sistema de energía. La preocupación es siempre una opción, a pesar del hecho de que a menudo es una reacción refleja.

Desde el principio, usted aprendió a preocuparse (aprendió esto bien); y puede desaprender lo que ha aprendido. Puede tomar opciones diferentes. Preocupación, miedo, odio, ira, fingimiento, autoprotección y aflicción son las actitudes dominantes en las que hemos sido programados para creer por nuestra cultura y nuestros padres. Yo las llamo «actitudes», porque son conductas aprendidas utilizadas para definir nuestra relación con una experiencia *después* de que ésta ha sucedido. Son cajas dentro de las cuales ponemos nuestras experiencias. El día (o minuto o segundo) en que un autobús le salpica de barro, usted lo pone en una caja y lo etiqueta como «algo por lo que ponerse furiosos». Sin embargo, en el momento en que sucedió el hecho, usted simplemente se quedó impactado. La ira fue una elección que hizo después de que sucediese el incidente. Usted añadió la ira a la experiencia; no era una parte fundamental de la experiencia en sí. Pudo haber elegido añadir alguna otra cosa –pudo haber decidido que fue divertido– o incluso pudo haber vivido la experiencia en sí, sin ninguna actitud asociada a ella. La última posibilidad recibe el nombre de estar aquí ahora. Cuando usted está aquí ahora directamente experimenta la Vida misma; cuando aprisiona su experiencia en cajas etiquetadas, se resiste a la Vida y experimenta sólo sus actitudes hacia ella.

Como puede ver, la cuestión de la enfermedad es realmente una cuestión espiritual, pues la causa original de su enfermedad es USTED. Sus propias creencias y actitudes bloquean su sistema de energía, provocando sus desequilibrios y enfermedades. La enfermedad es una expresión y un reflejo de usted mismo. El único responsable es usted. Por consiguiente, trabajar sobre usted mismo, emocional y espiritualmente, es el único modo de curarse de las causas de la enfermedad. Trabajar con su sistema de energía es un modo de trabajar sobre usted mismo, emocional y espiritualmente, pues sus pautas de pensamiento son pautas de energía. Los pensamientos, creencias y actitudes programados que le hacen resistirse a sus experiencias en la vida son estrés en sí mismos. Cuando libera ese estrés y esos bloqueos de su sistema de energía, su forma de abordar la vida cambia. He visto suceder esto una y otra vez en mi práctica curativa. Cuando los sistemas de energía de las personas llegan a estar más equilibrados, éstas se vuelven más libres de la programación refleja que regía sus vidas y empiezan a ver el mundo de un modo más claro. No debería resultar sorprendente que cuando la gente llega a estar más relajada, equilibrado y libre, también llega a estar más libre de la enfermedad. Ninguna prescripción de medicamentos puede darle esta clase de salud.

En cuanto a la enfermedad hereditaria, en el sentido más profundo esta herencia incluye no sólo el cuerpo físico particular con el que nacemos, sino también a nuestros padres con sus actitudes y creencias, así como a la cultura en que nacemos, con todos sus prejuicios. Lo que heredamos es la situación en que nacemos, y puesto que para nadie es una situación plenamente esclarecida o equilibrado, todos empezamos con algún desequilibrio existente en nuestros sistemas de energía. En mi entendimiento de la realidad, todo bloqueo con que nacemos es un reflejo de aquello, en un nivel alma-Yo, sobre lo que hemos decidido que necesitamos trabajar en esta vida. Elegimos la situación más adecuada para facilitar nuestro crecimiento. Mi próximo libro, sobre transformación personal, explorará esta cuestión en profundidad. Aquí es suficiente afirmar que la enfermedad heredada es una expresión de niveles más profundos de su Yo. Usted sigue siendo responsable de los desequilibrios (o transformación) que provoque.

En este contexto, las epidemias pueden considerarse como expresiones de grupo, cuestiones que aborda la sociedad en su conjunto. (En el nivel físico, la difusión de la enfermedad epidémica será fácil, pues con las cuestiones que conciernen a la sociedad en general, la mayor parte de las personas estarán desequilibradas y bloqueadas en esas zonas.) Por consiguiente, una enfermedad como el sida estará rodeada de cuestiones emocionales, sociales y psíquicas, que reflejan los tiempos modernos. Otra consecuencia de este punto de vista es que en la medida en que nuestra alma-Yo necesite explorar las cuestiones del crecimiento a través de estados de enfermedad, naceremos con desequilibrios suficientes para perpetuar la enfermedad, y si nos arreglamos con medicamentos (o vacunas)[22] para impedir que ciertos tipos de virus vivan a expensas de nuestros estados de bloqueo, aparecerán otros nuevos, así como el virus del sida pareció surgir de manera repentina. (Para la profesión médica éstas serían enfermedades nuevas, pero desde el punto de

22. En un tiempo, las vacunas parecían la panacea para todas las enfermedades. Lamentablemente, la investigación reciente indica que las vacunas, que estimulan en forma artificial al sistema inmunológico, ponen a prueba sus recursos y lo debilitan, dejándolo más susceptible a otras enfermedades. La revista *Omni* (julio 1987, página 20) informa: «Recientemente, los investigadores del Roswll Park Memorial Institute de Buffalo, Nueva York, descubrieron que los animales inmunizados en forma repetida son más susceptibles de ser afectados por el virus del SIDA...[El investigador entrevistado] especula que puede existir un vínculo entre la política sanitaria de Estados Unidos de inoculación masiva y el surgimiento reciente de enfermedades autoinmunes.» Además, a medida que aumenta el número de inoculaciones que usted recibe, se incrementa de manera espectacular la probabilidad de tener una mala reacción ante una de esas vacunas y una mala reacción puede debilitar su salud. Esto no quiere decir que nunca deberían utilizarse vacunas, sino que deberíamos estar alertas a sus peligros y a las consecuencias de la actual política de salud pública de inoculación masiva indiscriminada. (La medicina homeopática, que desde hace mucho tiempo reconoció que las vacunas debilitan al cuerpo, ofrece remedios para ayudar a contrarrestar sus efectos nocivos, aun cuando hayan sido administradas muchos años atrás.)

vista presentado aquí, son simplemente nuevas expresiones de los mismos desequilibrios generados por preocupaciones, miedo, odio, ira, simulación, autoprotección y aflicción.)

La enfermedad tiene un propósito espiritual: nos permite ver dónde estamos fuera de equilibrio y nos obliga a crecer.

Apéndice C

Notas postales

Esta sección fue escrita para responder a las preguntas que han surgido en diversos talleres de trabajo y que he recibido por correo desde la publicación original de este libro.

La energía curativa puede actuar como un estímulo

Es importante saber que la energía curativa puede estimular a una persona en su interior, emocional, espiritual y físicamente. Pueden aparecer viejos sentimientos o incluso agravios reprimidos; puede emerger una nueva sensación del yo; el cuerpo puede sentirse extraño, o incluso un poco enfermo, si empieza a liberarse, pero no por completo, de alguna cuestión profunda, y aunque la gente quiere ser curada, a menudo teme experimentar sentimientos viejos –o incluso nuevos– o alterar el *statu quo* en que viven.

De vez en cuando, una persona muy tensa se sentirá un poco sensibilizada después de una sesión, porque cuando un cuerpo se relaja, la molestia generada por la tensión y que se hallaba encerrada en ella, surge a la superficie. (Esto es similar a lo que sucede cuando alguien se excede al hacer ejercicio: por lo general, no sentirá molestias hasta más tarde, cuando se relaje.) Por la misma razón, una persona exhausta que ha estado sometiéndose a esfuerzos puede advertir que su cansancio después de una sesión de curación le ha energizado lo suficiente para relajarse y permitir que el agotamiento profundo salga a la superficie. (Puesto que las personas muy tensas o agotadas pueden pensar equivocadamente que la sesión les hace sentirse doloridas o cansadas, si yo soy consciente de su estado les advertiré sobre esos efectos de antemano.)[23] Hasta una lesión reciente puede doler más después de una sesión de curación si el tejido sigue estando afectado –y, por consiguiente, algo entumecido– y la energía curativa liberó la afección. (Esto es similar al dolor que se produce cuando desaparece el entumecimiento o congelación.) Un efecto que aparece *durante* las sesiones de curación está «gorgoteando» –a veces haciéndose oír– en los intestinos de la persona. El gorgoteo simplemente indica que la tensión está liberándose (aunque la liberación puede suceder sin este efecto.) Otro efecto secundario de liberación de tensión es la sensación de calor.

23. En general, con personas agotadas, no canalice durante más de una hora. Puede volver a tratarlas cada ocho horas. También, cuando envuelva el aura de una persona al final del equilibrio pleno del aura comprímala más a fin de que esté más cerca del cuerpo.

Profundización de las energías de la Tierra y del Sol

Cuando esté tomando energía curativa de la tierra o del sol (el octavo chakra), un modo de profundizar su vibración es percibirla como una expresión de amor incondicional de esos elementos. Por ejemplo, si está canalizando energía de la tierra de color verde, puede percibir esa energía singular como una particular expresión del amor de la tierra y como conteniendo ese amor. Entonces, aunque siga canalizando energía de la tierra de color verde, su conciencia estará más en línea con el amor incondicional en su origen y la energía curativa vibrará más profundamente con esa cualidad de amor.

La naturaleza de los órganos

En el capítulo 10 hablé de las relaciones organo-emoción. En términos técnicos, las relaciones son en realidad entre las emociones y nuestros senderos órgano-energía, que son senderos particulares en el sistema energético del cuerpo que corresponden a órganos físicos particulares y alimentan dentro y fuera de ellos. Los órganos físicos son afectados por la emoción sólo porque la emoción –que es un fenómeno energético– afecta a esos senderos órgano-energía.

Considere al sistema de energía como un tipo especial de árbol que tiene frutos creciendo directamente dentro de sus ramas (como opuesto a colgar de ellas), y donde cada rama alimenta a su vez a otras ramas y regresa al tronco principal del árbol.

Imagine además que todo lo que puede ver es el fruto (hasta que desarrolle su visión «psíquica»). El fruto de tal árbol correspondería entonces a nuestros órganos, pues nuestros órganos son simplemente las expresiones físicamente densas de aspectos particulares de nuestro sistema energético. Los problemas se desarrollan en el fruto sólo cuando existen desequilibrios en el árbol como un todo o en una de sus ramas; al menos existe una lesión física directa en el fruto visible. (Los problemas en una rama pueden afectar a otras ramas y a sus frutos.) Por tanto, para curar un órgano, realmente necesitamos trabajar sobre el árbol y las ramas. Podemos hacer esto canalizando energía curativa en los chakras, o incluso directamente en el órgano, puesto que el órgano no se halla separado de la rama que lo alimenta. Aunque una intervención quirúrgica en un órgano, a veces necesaria, sólo trata el síntoma, las hierbas ayudan mediante el fortalecimiento del sistema de todo el árbol y mejorando las funciones de determinadas ramas.

Duración de la cura

Lamentablemente, es difícil saber cuántas sesiones se requerirán para curar un estado particular. Depende de la profundidad del estado –que incluye la profundidad de las pautas mentales-emocionales que pueden estar en su origen– y de la disposición (no el deseo) de la persona a liberarse de esas viejas pautas.

Yo no tengo ninguna duda acerca de que las enfermedades «genéticas» pueden curarse con energía curativa. Hasta el sentido común diría que si la energía caótica de radiación puede cambiar negativamente un sistema genético, la energía curativa debería ser capaz de restituirle la armonía.

Nuestros genes son como nuestros órganos –expresiones densas de nuestro sistema de energía– pero son formados y mantenidos a niveles mucho más profundos del sistema. Esto quiere decir que para que una enfermedad verdaderamente genética sea curada (muchas enfermedades clasificadas como genéticas no están en realidad en ese nivel de profundidad) se necesita una cantidad considerable de energía –posiblemente diez o más años de trabajo curativo diario– para penetrar hasta la profundidad del trastorno. Por prolongado que pueda parecer esto, es mucho más breve que la alternativa: sufrir de por vida la enfermedad «incurable».

Más sobre los chakras

Primer chakra. Aunque nuestra sexualidad está asociada con el segundo chakra, el primer chakra también se halla implicado, porque nuestra energía sexual es *activada* por la energía de nuestro instinto físico de procreación y *supervivencia* genética, que surge del primer chakra. Debido a esta relación del chakra con nuestros senderos órgano riñón-energía, los desequilibrios en las energías masculina-femenina también tendrán su base aquí. Además de esto, el primer chakra es la clave para nuestra fisicalidad humana, por lo que las personas que son muy «etéreas», que tienen dificultad o resistencia para experimentar su fisicalidad, en general estarán bloqueadas aquí.

Segundo chakra. En la relación sexual casi siempre creamos «cordones de energía», etéreos con nuestra pareja, conectando nuestro segundo chakra con los suyos. Estos cordones facilitan la conexión, el vínculo y la comunicación, aunque también contienen la conciencia de nuestros lazos inconscientes. Si bien los cordones de energía pueden existir con cualquier chakra, los cordones del segundo chakra son los más comunes. Estos cordones de energía principalmente llegan a ser un problema cuando se rompe una relación, pues el cordón en general seguirá existiendo, manteniendo nuestro sentido del vínculo y alimentando así cualquier sensación de pérdida. En mi segundo libro, *One heart laughling*, di instrucciones destalladas para soltar estos cordones; aunque para la mayoría el hecho de tomar conciencia del cordón y de hacer un intento de liberarlo bastará para soltarlo. (Con el tiempo, en general se sueltan ellos por su cuenta.)

Tercer chakra. El aspecto de este chakra que se relaciona con el intelecto vibra amarillo, mientras que el aspecto de la voluntad personal de este chakra vibra verde. La voluntad personal abarca a todas aquellas cuestiones enumeradas en la página 111, así como las preocupaciones, el odio, la depresión y el estrés de nuestro estilo de vida personal, de nuestra manera de vivir, trabajar y comer. Algunas de nuestras cuestiones más profundas para este chakra surgen cuando creemos que nuestra voluntad y nuestro poder personal no son suficientes para brindarnos lo que pensamos que necesitamos para sobrevivir (física, emocional o espiritualmente), o cuando tenemos miedo de expresar nuestra voluntad personal (a veces experimentada como un miedo de manifestar nuestra ira). Finalmente, esto provoca un desmoronamiento de la voluntad personal, conduciendo a la depresión, la autocompasión y los sentimientos de autoestima baja (cuestiones encontradas en lo profundo del núcleo de este chakra y a veces en el chakra del bazo). Esto, a su vez, suele conducir a compensaciones por esos sentimientos negativos, siendo el más común la arrogancia, que es inicialmente nuestro intento de ser mejor que el yo que creemos que somos.

Suele existir alguna confusión concerniente a la localización de este chakra. Aunque en general se considera que se halla en el plexo solar, algunos sistemas lo sitúan más específicamente en el ombligo, mientras otros lo colocan en la boca del estómago, justo debajo del esternón. En realidad, el chakra se halla *entre* estos dos puntos. Empero cada uno de estos puntos es un centro para cuestiones particulares y energías que están dentro del campo del tercer chakra del campo del tercer chakra. Por consiguiente, simplifica las cosas considerar que el tercer chakra tiene ramas que se extienden en ambas zonas. De hecho, si alguien está particularmente bloqueado en una de esas áreas debido a lo que le sucede en ese momento, entonces también puede encontrarse allí el bloqueo del tercer chakra fundamental de esa persona. En general, la zona del ombligo se vincula con las cuestiones del tercer chakra de control e ira

–que también son, específicamente, cuestiones del hígado– y, por tanto, el ombligo puede considerarse un sistema soporte o refuerzo para el mantenimiento de esas cuestiones en el tercer chakra o en el hígado. La boca del estómago se relaciona con la depresión, la autoprotección y la autocompasión que, a su vez, se vinculan con el estómago y el bazo.

Cuarto chakra (corazón). Puesto que este chakra es el puente que va desde nuestro yo inferior a nuestro Yo superior y constituye nuestra fuente de autoamor, aquello que lo bloquea es el autorrechazo y la autoalienación, que es todo rechazo/represión/alienacion del Yo verdadero. Puesto que todas las emociones «negativas» bloquean nuestra experiencia de identidad de conciencia-del-amor, todas ellas tienen un efecto adverso sobre este chakra. Por consiguiente, toda pauta emocional crónica se manifestará como un bloqueo en esta zona, aun cuando la pauta esté enraizada en otro chakra; en el chakra del corazón la pauta se experimentará como una pérdida de identidad.

El chakra del corazón también reflejará nuestra sensación de identidad personal (que cambia cuando nuestra conciencia espiritual se expande y se contrae a lo largo del día). Si identificamos nuestro Yo con nuestro estilo de vida mundano básico o nuestra voluntad personal, nuestro chakra del corazón resonará con el tercer chakra e irradiará el color verde;[24] si nos identificamos con nuestro Yo supe-

24. Ésta es la razón por la cual algunos sistemas asocian el verde con el chakra del corazón, aunque yo no considero al verde uno de sus colores «verdaderos». Las sesiones de curación tienden a convertir los

rior, con nuestra espiritualidad y amor incondicional, ello resonará con los chakras superiores e irradiará dorado y blanco; si nos identificamos con nuestra espiritualidad y con nuestra emocionalidad o sexualidad, el chakra del corazón resonará con los chakras superiores y con el segundo, e irradiará rosa o frambuesa; si a la última identidad se añade una identidad con la fisicalidad de uno –el primer chakra–, el chakra del corazón tendrá un poco más de rojo e irradiará un color arándano. Al abrir nuestro chakra del corazón nos ayudamos a recordar quiénes somos realmente, lo cual contribuye a liberar las autoidentidades ilusorias que generaban bloqueos en nuestros chakras inferiores.

Sexto chakra (tercer ojo). Éste es el vehículo de la realización (de la verdad espiritual), que hace ver las cosas tal cual son, por lo que constituye la puerta hacia el conocimiento (mientras que el tercer chakra es el vehículo para el intelecto y el entendimiento).

Chakra del bazo. Además de algunas de las cuestiones del tercer chakra enumeradas en párrafos precedentes, el bazo se relaciona con todas las formas de «retención». La idea de «descargar la bilis» se refiere a nuestra liberación de esas emociones que hemos retenido dentro del bazo.

Hígado. El hígado se relaciona normalmente con todos los estados de «limitación muscular». Ade-

chakras del corazón de color verde en dorados y blancos, devolviendo el verde al tercer chakra.

más, he descubierto que muchas personas con profunda toxicidad corporal han tenido algún tipo de enfermedad hepática, aun cuando la enfermedad se haya dado quince o más años atrás. (Por supuesto, fumar y comer en exceso carne, frituras y comida basura a largo plazo puede terminar generando esta clase de estado tóxico.)

Chakras pélvicos. Se relacionan con tensiones en las piernas y en la espalda, y ayudan a los pulmones relajando el diafragma.

Relaciones entre los chakras

En general, las relaciones entre los chakras –el modo en que se afectan unos a otros– se entienden mejor si se los considera en términos de las cuestiones que representan. Por ejemplo, el miedo de la supervivencia en el primer chakra puede generar un bloqueo en cualquiera de los demás chakras. Si el miedo afecta a la sexualidad o a la intimidad emocional (o se centra en ellas), el segundo chakra llegará a estar bloqueado; si existe miedo a la ira, o si el miedo genera ira a causa de la autoprotección, el tercer chakra llegará a estar bloqueado; y así sucesivamente. Otro ejemplo es el de alguien que aborda un trauma emocional en su segundo chakra generando ira en su tercer chakra, autorrechazo en el cuarto, y/o comunicación bloqueada en el quinto. (Los bloqueos en los chakras superiores son provocados principalmente por bloqueos en los inferiores, pero los bloqueos que conciernen a más de un chakra pueden tratarse desde cualquier chakra afectado.)

Existen muchas más relaciones entre los chakras que las que puedo describir aquí. A medida que su conciencia se expanda, en sus sesiones de curación usted verá realmente como un bloqueo en un chakra provoca bloqueos en otros, y al saber lo que representa cada chakra estará en condiciones de intuir el problema general de la persona. La clave no es memorizar páginas enteras sobre las relaciones de los chakras, sino comprender el principio que he descrito aquí.

Posturas de yoga para abrir los chakras

Muchas personas que practican hatha yoga no comprenden que puede utilizarse para abrir directamente los chakras. Para los profesionales actuales y futuros yoga, lo que sigue es una lista de los chakras y de las posturas de yoga básicas que pueden emplearse para abrirlos:

Primer chakra: la rana
Segundo chakra: la cobra
Tercer chakra: el arco o la barca
Cuarto chakra: el pez o el camello
Quinto chakra: postura completa o semipostura de hombros, puente o arado.
Sexto chakra: giro de espina dorsal o Yoga Mudra.
Séptimo chakra: postura de cabeza o Yoga Mudra.

Cuando se practican estas posturas, es importante recordar que no basta con mantenerlas; debe respirarse profunda y conscientemente dentro de una postura para provocar una liberación verdadera en el interior del chakra asociado a ella.

Retirar «materia» de los chakras (un ejercicio opcional)

Si no pudo sentir ningún bloqueo en los chakras en el ejercicio 5, de momento páselo por alto; necesita ser capaz de sentir un bloqueo para liberarlo utilizando esta técnica.

Para comenzar, el canalizador «escucha» a los chakras del receptor (como en el ejercicio 5, página 121) hasta dar con un bloqueo. Sólo es necesario encontrar uno.

Entonces usted, el canalizador, debería colocar sus dedos (de una o de ambas manos) de modo que se hallen de algún modo en un ángulo vertical, apuntando hacia el chakra, directamente hacia el bloqueo que hay en él. Luego imagine que la energía se *extiende* desde sus dedos hasta el bloqueo, estableciendo contacto con él. Esta energía extendida debería considerarse como una extensión energética de los dedos. Esto le permitirá utilizar la energía como si estuviese usando sus dedos.

A continuación, mueva sus «dedos de energía» en un movimiento circular lento (en el sentido de las agujas del reloj o en sentido contrario), de modo que el bloqueo llegue a envolverse alrededor de ellos. Esto será como revolver un líquido pegajoso con una varilla, haciendo que éste se envuelva en torno a ella.

Después, lentamente comience a retirar sus dedos de energía del chakra, a fin de que se lleven con ellos el bloqueo pegajoso. Recuerde que el bloqueo está de algún modo entrelazado con el chakra (lo cual refleja el enredo *emocional* del receptor con el bloqueo), de manera que el chakra debe eliminarlo para liberar realmente; si se mueve con demasiada rapidez y no concede tiempo al chakra para desenredarse, el bloqueo simplemente será eliminado de sus dedos. Si el bloqueo parece atascado, puede ayudar que el receptor respire hondo en el chakra. Mientras usted actúa sobre el bloqueo, puede sentir realmente que el chakra lo retiene y se resiste a su tirón. En cierta medida, puede parecerse a estirar de un caramelo masticable. Sea paciente. El procedimiento completo no debería durar más de cinco minutos, si el bloqueo está dispuesto a liberarse.

Cuando haya desenredado el bloqueo de su aura, limítese a sacudirlo de sus dedos, apartado del receptor. Luego «escuche» el chakra para percibir el cambio en él.

A menudo, no habrá retirado *todo* el bloqueo; puede repetir el ejercicio para retirar el resto. A veces es demasiado grande o está muy consolidado en el lugar como para moverlo. A veces puede sentir que el bloqueo también afecta a otro chakra y es retenido por él. En ese caso, puede extender sus dedos de energía desde el chakra sobre el que ha estado trabajando hasta el otro chakra bloqueado, o puede ir directamente hacia el otro chakra, yendo de uno a otro si es necesario. Cuando haya terminado, intercambien posiciones y repita el ejercicio, y luego comparta sus experiencias con su pareja.

Más sobre canalización a distancia

Si tiene dificultades al utilizar el chakra corona para canalizar energía curativa a distancia, a continuación se indican algunos trucos para ayudarle:

1. Primero, pruebe a sentir la energía en sus manos, y luego visualice a la *energía subiendo desde sus manos* a través de su torso y saliendo por la coronilla de su cabeza hacia su pareja.
2. Imagine que está extendiendo su *conciencia* a través de la parte superior de su cabeza para tomar contacto con la conciencia y el cuerpo de su pareja.
3. Pruebe a respirar en la parte superior y central de su cabeza, imaginando que su aliento abre y expande esta zona. Después de uno o dos minutos, sentirá como si la parte superior de su cabeza se hubiese abierto, y entonces puede continuar con el ejercicio.
4. Puede ayudar utilizar antes de la canalización la meditación del chakra que se incluye en el apéndice A, y ello es capaz de permitirle canalizar una energía curativa más plena y poderosa.

Si queda desconectado de la Tierra o «en el aire» como consecuencia de emplear su chakra corona para canalizar a distancia, puede disfrutar la sensación o utilizar para reconectarse las sugerencias indicadas en la nota de advertencia de la página 46. Para volver a conectar con la Tierra también es muy útil tomar energía terrenal de color verde, como si estuviese a punto de canalizarla.

Cosas a buscar durante el equilibrio del aura

Sensaciones de energía. Mientras está despejando un chakra, con su mano izquierda encima de él, puede experimentar «sacudidas» en el flujo de energía, o sentir como si pequeñas cosas hechas de energía saltasen contra la palma de su mano izquierda. A menudo, usted siente como si algo se hubiese relajado físicamente debajo de su mano, o puede experimentar la sensación emocional de ser liberado, o puede sentir una «sonrisa» que sale del chakra; la energía purificada siempre tiene en ella una sonrisa.

Un chakra bloqueado. Si siente que un chakra no está completamente despejado, hay varias cosas que puede hacer:

1. Cambie el color que está canalizando por uno que corresponda a ese chakra (por ejemplo, rojo para el primer chakra).
2. Cambie el tercer método de canalización, tomando desde el corazón, puesto que ésta es una energía más sutil y trabajará más sobre la retención emocional del bloqueo.
3. Continúe con el equilibrio del aura y vuelva al chakra bloqueado en el paso 6 del equilibrio del aura, cuando haya terminado con todos los otros chakras. (puede volver a trabajar más de un chakra en el paso 6.) Debido a las conexiones entre los chakras, despejar los otros chakras ayuda a aflojar el bloqueo en el que se hallaba atascado.
4. Haga que la persona lleve conscientemente su aliento hacia ese chakra mientras usted canaliza

en él. (No es necesario que se extienda en una larga explicación para pedir a la persona que haga esto.)

5. Utilice la técnica de «retirar materia de los chakras», descrita anteriormente en este apartado, si está en condiciones de hacerlo. Si el bloqueo sigue sin despejarse, olvídese de él, tal vez no esté preparado para liberarse.

Liberación emocional. Si el receptor llega a sentirse muy emotivo, es mejor continuar canalizando a fin de que venga más energía para ayudar a completar la liberación. Empero, mientras está canalizando puede decir afectuosamente a la persona que lo que experimenta es algo inofensivo. También es importante que siga respirando. Anime al receptor a respirar. Toda pauta emocional requiere una pauta de respiración correspondiente, en la cual la persona tenderá a quedar atascada, y esto le ayudará a captar esa pauta.

La respiración también ayudará a liberar el aspecto del miedo de la pauta emocional que sostiene que no es seguro respirar/vivir/sentir lo que sucede (lo cual es una mentira).

Inquietud en el receptor. En general, si la persona que recibe la energía curativa parece estar poniéndose inquieta, ello simplemente quiere decir que alguna clase de carga está liberándose o se prepara para liberarse. Pero si la persona empieza a sentirse inquieta hacia el final del tratamiento y permanece así, entonces ello indica que ha recibido toda la energía que su cuerpo es capaz de recibir y procesar. En semejante situación, apresúrese a efectuar lo que sea necesario para completar la sesión y luego conclúyala.

Un tratamiento rápido

Cuando carezca de tiempo o de disposición para realizar un equilibrio completo del aura, despeje y cargue los chakras 8 a 1 (comenzando con el octavo chakra, como en el equilibrio del aura), incluyendo el bazo, el hígado y los chakras pélvicos, y luego termine con la canalización del corazón (paso 10 del equilibrio seguro).

El campo desunido: más sobre unidad

Einstein comprendió que toda la energía existente en el universo se halla interconectada, que todo el universo es un campo energético unificado en el cual cada parte del campo –sea una piedra o un ser humano– es simplemente una expresión del campo uno en ese punto. Ninguna para está separada del todo; todo es parte de alguna otra cosa.

Una implicación de esto es que si alguna parte del campo es consiente, entonces el campo en sí mismo debe poseer conciencia, pues la parte sólo pudo haber recibido su conciencia del todo, y puesto que el campo está compuesto de energía, la *energía debe poseer conciencia*. Por tanto, nuestro universo –que incluye todos los niveles de existencia– es realmente un campo unido de energía *consciente*. (Por supuesto, esto es lo que los místicos han dicho durante miles de años.)

Entonces, un ser humano es una pauta local única de energía consciente dentro de la pauta mayor del campo uno. Una metáfora antigua para esta relación es el árbol de la vida. Un ser humano es una hoja única en el árbol de la vida, pero la identidad más profunda de la hoja es el árbol mismo, pues aunque una hora pueda *percibirse* como una estructura separada, es simplemente una expresión y una parte del árbol.

Más sobre la enfermedad

Puesto que la energía sigue al pensamiento, tanto pensamiento consciente como inconsciente, para toda enfermedad, que es una pauta singular de energía, existirá una pauta de pensamientos correspondiente –en la forma de creencias y actitudes autolimitadoras–, ya sea que los pensamientos sean conscientes o inconscientes, ya sea que la enfermedad sea «adquirida» o «heredada». Nuestros pensamientos tienen el poder de crear, mantener o curar nuestras enfermedades. Por consiguiente, aunque la recepción de energía curativa ayudará a una persona a liberarse de pautas de pensamiento autolimitadoras, en muchas situaciones no bastará con canalizar energía curativa; *a veces la curación de una enfermedad requerirá cambiar la forma mental de la persona.* (Este método de transformación es el tema de mi segundo libro, *One Heart Laughing.*) Si bien no puede curar a alguien de algo de lo que esa persona no está dispuesta a liberarse, puede ayudarle a cambiar de opinión de modo que llegue a estar deseosa de hacerlo.

Conclusión

Este libro ha sido una introducción a una forma de curación conocida tradicionalmente como canalización de energía o imposición de manos. De ninguna manera es exhaustivo. Tampoco se propone fijar reglas rigurosas, sino establecer unos principios. La curación es una arte. Se vale de las leyes que rigen la energía, del mismo modo en que un pintor utiliza las leyes que rigen el color. El principio básico de la curación es confiar en sus propios instintos e intuiciones.

La práctica de esta clase de trabajo curativo es también una forma de meditación. Cuando la realidad, su conciencia y su sensibilidad crecerán y usted empezará a experimentar intuiciones. Hasta puede comenzar a tener percepciones «psíquicas», pero todo lo que un médium hace es ver lo que ya existe en una forma demasiado sutil para ser advertida por la mayoría de la gente. Aprenda a confiar en lo que le dan.

Para mí, escribir este libro ha sido un poco como organizar un taller de trabajo sin saber el nombre de nadie. Me encantaría conocer las experiencias que usted tenga cuando practique la canalización de energía curativa. Aprender a canalizar energía curativa en el escenario de un taller de trabajo es una experiencia increíblemente excitante.

Mi esperanza es que este libro le haya dado una prueba de la magia que existe dentro de nosotros y que nos rodea continuamente. ¡Vivimos en un universo mágico! Sólo necesitamos abrir los ojos. Deseo que disfrute en todos su viajes.

Con amor,
Ric. A Weinman

Círculo de equilibrio

Interior

Bibliografía

Brugh Joy, W. *Joy's Way*, J. P. Tarcher, 1979.

Miller Roberta D. *Psychich Massage*, Harper & Row, 1975.

Gawain Shakti. *Visualización creativa*, Sirio, 1990.

Hay, Louise L. *Sana tu cuerpo*, Urano, 1992.

Codington, Mary. *In Search of the Healing Energy*, Destiny Books, 1978.

Kriegger, Delors. *The Therapeutic Touch*, Prentice-Hall, 1979.

Cummings, Stephen y Ullman, Dana. *Guía práctica de medicina homeopática*, Edaf, 1987.

Keys, Laurel Elizabeth. *Toning*, De Vorss, 1973.

Garfield, Patricia. *Creative Dreaming*, Ballantine, 1974.

Roberts, Jane. *The Nature of Personal Reality*, Prentice-Hall, 1974.

Rodegast, Pat y Stanton Judith (compiladores). *El libro de Emmanuel*, Luciérnaga, 1993.

Dass, Ram. *Grist for the Mill*, Unity Press, 1976.

Levine, Stephen. *Healing into Life and Death*, Anchor Press/Doubleday, 1987.

Leonard, Jim y Laut Phil. *Rebirthing: The Science of Enjoying, All of Your Life*, Trinity Publications, 1983.

Índice

Prefacio. 9
Introducción 13
Tres indicaciones acerca de la utilización
de este libro 15
Ejercicio de calentamiento: centrarse a través
de recibir aliento 19

Tres métodos para canalizar energía curativa

1. Las sendas que conducen a las fuentes
de energía 23
Ejercicio 1: colores, palabras y recuerdos 26
2. La forma mental 29
Ejercicio 2: amor incondicional 35
3. El primer método de canalización
de energía curativa. 39
La que procede del cielo. 39
4. El segundo método de canalización
de energía curativa. 57
La que procede de la Tierra. 57
5. El tercer método de canalización
de energía curativa. 67
La que procede del corazón 67

6. Colores 77
7. La ilusión de recibir la «materia» de otras personas 83
8. Otras cuestiones. 89
Ejercicio 3: puntos de dolor 92
Ejercicio 4: canalización a distancia 92

Generar un equilibrio del aura en profundidad

9. Modelos del cuerpo humano 97
Cinco modelos de éxito 99
10. Un cuerpo ecléctico 109
Ejercicio 5: escuchar el cuerpo de una persona 121
Ejercicio 6: resistencia. 124
11. Equilibrio del aura en profundidad 127

El cuarto método

12. Curación a través de la unidad (opcional) . . . 149

Apéndice A. 155
Ejercicio 7: meditación del chakra 155
Apéndice B 159
Una teoría alternativa de la enfermedad 159
Apéndice C 167
Notas postales 167

Conclusión 185

Bibliografía. 187